Un maillot de bain
une pièce
avec des pastèques
et des ananas

Claire Castillon

Un maillot de bain une pièce avec des pastèques et des ananas

l'école des loisirs
11, rue de Sèvres, Paris 6e

Du même auteur à *l'école des loisirs*

Collection NEUF

Tous les matins depuis hier

ISBN 978-2-211-22512-0

Loi n° 49.956 du 16 juillet 1949 sur les publications
destinées à la jeunesse : février 2014
Dépôt légal : février 2016
Imprimé en France par CPI Firmin Didot
à Mesnil-sur-l'Estrée (129160)

Édition spéciale non commercialisée en librairie

1

Les socquettes blanches, je ne peux pas expliquer pourquoi. Enfin si, je peux très bien. Mais je ne dois pas penser tordu. Sinon je vais avoir droit à Mme Blin, l'orthophoniste qui m'a déjà appris deux choses essentielles dans la vie : ne plus téter ma langue et atterrir. Depuis que j'ai atterri, je ne tète plus ma langue. J'en conclus qu'il arrive que deux actions soient liées. Et j'en conclus surtout que les orthophonistes sont psychologues.

Je continue à rendre visite à Mme Blin, orthophoniste-psychologue, une fois par trimestre pour vérifier que je ne laisse pas mon imaginaire envahir la réalité et que j'avale toujours comme il faut, sans pousser ma langue contre mes dents. Au repos, machinalement et surtout sans y penser, ma langue doit camper derrière les bosses de mon palais. Il en va du bon ordre de ma bouche. Ainsi, le docteur Croc est content. «Tes dents n'empirent pas, Nancy», déclare-t-il sur un ton aussi sinistre que ses soupirs contre sa poubelle quand il la sort par temps de pluie. Heureusement, je ne vis pas avec lui. Mais il a tout du bonhomme dont les humeurs font des hauts et des bas.

« N'importe quoi ! » s'esclaffe ma mère quand je le lui fais observer. Elle le défend. Comme un mari. Elle en oublie mon papa. Quelque chose me déplaît là-dedans.

Je ne développe pas davantage. Je garde pour moi le portrait que je tire de l'affreux dentiste. Il s'affiche dans l'album intérieur de ma tête. Je fais défiler les images avant de dormir, classant les êtres en deux catégories : ceux à qui j'envoie des flèches, ceux sur qui je sème des pétales de rose. Ou de pois de senteur. Je préfère. Leur côté aérien, sans doute.

Le combat que mènent le docteur Croc et ma mère, penchés sur ma bouche, à lire l'avenir dans mes incisives, n'est pas très normal. Ils feraient mieux de se préoccuper des étoiles du ciel. Enfin, pas trop non plus. Et pas le soir des étoiles filantes, des vœux de bonheur et du reste.

J'ai déjà une canine qui l'a échappé belle. Elle pointait vers l'avant mais elle a finalement fait pirouette arrière quand le docteur Croc lui a offert davantage de place en zigouillant sa voisine. Si mes dents de sagesse ont des oreilles, elles ont, elles aussi, du souci à se faire. Il semblerait qu'il veuille me les arracher à l'état de germes. Il les a déjà radiographiées et me prédit une opération d'envergure pour mes quinze ans. Malgré les flèches que je lui envoie en m'endormant, le docteur Croc continue ses projets de grands travaux dans ma bouche, et ma mère a confiance en lui, alors elle fonce, et je ressens de l'agressivité en moi. Au lieu de croire le premier zozo en blouse blanche, pourquoi ne demande-t-elle pas plutôt son avis à papa ? Architecte, il saurait, lui, quelle inclinaison donner à mes immeubles dentaires. Il n'y a qu'à regarder son sourire pour admettre qu'il en connaît un rayon. Il sourit jusqu'aux yeux. Vu la beauté parfaite de mon père, son mètre quatre-vingts, son regard adorable, son cerveau de génie et ses bras d'athlète, comment ma mère peut-elle ainsi vénérer Croc ?

Je les écoute, elle et lui, se passer de papa, et je m'énerve, je grogne. Mais plutôt en dedans. Ma mère a l'air détendue quand Croc trifouille dans ma bouche. N'a-t-elle pas autre chose à me proposer le mercredi que de me coller le dentiste entre le déjeuner et les devoirs ? J'ai besoin d'avoir du temps pour moi. J'ai tant de choses à penser. Je dois trouver la méthode pour que mon père reste le numéro un de ma mère.

Un grondement couve sous mon capot. Quand on quitte le cabinet dentaire, maman m'attrape la main comme si on était copines, et je lui balancerais bien un chapelet d'injures, mais je n'ai pas encore l'âge pour la crise d'adolescence avec contenu verbal. Donc je me retiens.

J'ai d'ailleurs découvert tout récemment que j'héberge un petit moteur d'avion à l'intérieur de mon corps, calé entre mon ventre et mes côtes. Il attend ma maturité pour fonctionner à plein régime. Avant, je me demandais si je n'abritais pas plutôt un feu ; il me brûlait la gorge quand je gardais quelque chose en travers de mon cœur. Le docteur Croc, par exemple. Je le subissais toute la semaine suivant notre rendez-vous comme une remontée acide. Je n'arrivais pas à me défaire de son regard à l'affût de mes dents, de sa connivence avec ma mère, de la prochaine réjouissance promise pour mon dentier. Je me rendais malade à l'idée d'y retourner. Mais en grandissant, je deviens technologique. Je suis en fait dignement motorisée. Moderne. Pointue. Je possède un vrai moteur de compétition. Mon secret est ultime. Je peux, de temps à autre, surtout si quelque chose me fait mal ou bizarre, me transformer en machine. J'ai trouvé la bonne arme de défense. Quand on me touche, je mets mon cœur à l'abri et je me rebiffe. Ainsi, je ne me consume plus.

Avant, j'étais jeune et j'avais tendance à me laisser ronger par n'importe quoi. Aujourd'hui, je sais me détacher des moments de panique ou de peine. Je vide tout simplement mes yeux de leurs larmes et me mets en mode « machine de guerre ». Blindée comme un char d'assaut, je me tapis mentalement dans un coin neutre, derrière mes côtes ou sous une omoplate, et, à la maison où ça barde pas mal en ce moment, ma méthode m'est bien utile.

Je m'endurcis. Mais je ne suis pas finie pour autant. Il me manque quelques chevaux. Je ne me suis pas encore totalement débarrassée de mon cœur. J'ai onze ans, c'est peu. Et beaucoup à la fois. Je ne peux déjà plus me compter sur mes doigts. Je me dis quelquefois que, si j'avais une hélice et si j'avais des ailes, j'aurais moins besoin de dents. Je pourrais m'envoler.

« L'envol viendra, Nancy, promet papa. Ne t'en fais pas. »

Il est le seul à me comprendre. Il m'apprend à rêver. Atterrir est une chose, mais j'aime mieux divaguer. Avec lui, je suis servie.

Voilà pourquoi le rendez-vous du samedi chez Mme Blin me tourneboulait tant. Cette contrainte me retirait les trois quarts de mon plus grand plaisir hebdomadaire.

Les choses sont ainsi. Si je dois garder un seul moment de la semaine, je prends celui où papa vient me chercher le samedi à l'école. Alors remplacer papa et nos beaux moments par une femme à l'haleine du matin qui m'apprend à rêver exclusivement en dormant et à poser mes pieds sur la terre, m'ancrer, me contenir et avaler était plus qu'éprouvant.

Je sais ce qu'on va me dire si je le crie haut et fort. « Tu n'es pas normale. Il est temps de t'amuser autant avec tes amis qu'avec ton papa. »

Eh bien, non. Plus le temps passe, plus j'ai de responsabilités vis-à-vis de lui. Si maman se comportait mieux avec le dentiste, papa se débrouillerait sans moi, mais vu qu'elle risque de l'abandonner, je dois rester à ses côtés.

2

Le samedi, papa vient me chercher à l'école à onze heures vingt, et nous rentrons ensemble déjeuner à la maison. En traînant. Nous parcourons la route à pied, nous n'allons jamais dans les squares, mais nous regardons les immeubles, les églises, les journaux dans les kiosques, les pigeons dans les flaques. Nous traînons devant des bouches d'égout, nous imaginons la vie dessous, nous traînons sur un papier gras, nous évoquons sa destinée de déchet, nous regardons le monde avec d'autres yeux – nos yeux du samedi onze heures vingt – et nous apercevons parfois de beaux insectes. Nous traînons avec nos pupilles, et papa ouvre les miennes à la grandeur des siennes. Les siennes voient des papillons, même en ville. Je tiens à ces papillons comme à la prunelle de mes yeux. Traîner, c'est voir. Papa travaille de la même manière. Il dessine des maisons en imaginant les gens qui habiteront dedans. Il élabore un plan rigoureux, mais son âme l'aide à calculer. Il possède certainement un cerveau en forme de cœur.

Je reviens à mes socquettes blanches. Un liseré de dentelle en souligne le bord. Elles sont idéales pour le samedi matin parce qu'elles sont assorties à ma traîne de bonheur. Le samedi, il me les faut, elles sont mon petit rituel de femme. Pas la peine de me dire que mon père est déjà pris ! Je le sais, mais je suis si bien avec lui. Alors aux yeux du monde, de onze heures vingt à treize heures, chaque samedi, j'ai besoin de me sentir belle pour lui. Je ne porte pas encore d'eau de parfum, mais j'adore mes socquettes. Point.

Je demande à papa d'entrer dans la cour et d'avancer jusqu'au préau. Il m'attend debout près du deuxième pilier. J'aperçois le sommet de son crâne alors que je suis encore en classe, assise à ma place. Je frémis, je regarde autour de moi, je vérifie que mes amies, les professeurs, la directrice ressentent la même chose que moi. On doit tressaillir quand papa arrive dans l'école. Pourquoi ? Parce que c'est Dieu. La preuve, même les arbres de la cour se courbent lorsqu'il entre. S'il était en marche, contre un prof, un élève, une leçon qui ne rentre pas, mon moteur d'avion s'éteint, et un doux ronronnement le remplace. Papa est un aimant. Dès qu'il se trouve quelque part, il attire forcément le regard. Je ne sais pas si son aura vient de son sourire ou de son charisme, mais il dégage une sorte d'onde. Il rassure. Je connais des gens qui se donnent du mal pour être présents. Ils rient fort, ils bougent les mains en parlant, toutefois malgré leurs efforts ils s'effacent aussitôt. Papa, lui, n'a pas à se donner le mal d'exister. Même muet, même immobile, il est naturellement indélébile.

Les pères des autres collégiennes les attendent dans la rue. Ou bien certains entrent aussi dans le collège, mais les filles se fâchent. Elles deviennent rouge écrevisse, elles enragent. Elles regardent vite vers les garçons pour vérifier qu'ils ne remarquent pas que leurs pères patientent dans l'enceinte du collège. Moi, je ne me fâcherai jamais contre mon père parce qu'il se montre. Le pauvre, je ne vais pas renier onze ans d'amour pour dix malheureux garçons dans la cour.

Mon amie Marie et son père se crêpent tout le temps le chignon. Elle ne comprend pas que je m'entende si bien avec le mien. Forcément, elle ne pense qu'à Jeff, un cinquième 2 qui ne la regarde pas. C'est à désespérer de porter un bandeau rouge dans les cheveux. La pauvre déteste cette couleur, mais elle l'a choisie pour lui. Elle a pensé que son bandeau ferait à Jeff l'effet du rouge sur un taureau. Elle a, comme elle s'en vante, employé les grands moyens. Résultat zéro. « Il est peut-être daltonien », a-t-elle conclu.

Marie ne comprend rien à ma traîne et à mes dentelles. Je suis beaucoup plus mûre qu'elle. Je n'ai aucun problème à me jeter dans les bras de mon papa. Il en a besoin. Mais depuis mon entrée au collège, papa ouvre moins grand ses bras. Croit-il que j'ai grandi ? Il est fou. De mon côté, je suis bien plus tranquille avec lui qu'avec un Jeff dans la tête. Quand je sors de classe, je n'ai pas besoin de porter un bandeau rouge pour que mon père me sourie. Il ne voit que moi.

3

À la maison, j'habite une chambre personnelle, censée rester très personnelle. Hélas ! on y entre comme dans un moulin. Ma mère frappe pour le principe, mais pénètre sans y être invitée. Elle croit que son sourire lui sert de passe-partout. Je m'énerve avec mon petit moteur. Néanmoins, je reconnais qu'elle passe rarement me voir pour me retourner une paire de claques ou me brûler avec son fer à repasser. Elle vient pour sourire ou donner un baiser. Je n'ai rien à redire. Elle range. Elle me demande si tout va bien. Elle m'apporte même parfois un apéritif. Je fais tranquillement mes devoirs et, juste avant le dîner, je suis gratifiée d'un petit zakouski, c'est-à-dire une sorte de plaisir salé, type rillettes sur quignon de pain ou rondelle de saucisson sur cure-dent. Je ne suis pas à plaindre, mais je me demande toujours si passer n'est pas sa façon à elle de traîner.

Il faut dire que traîner dans le couloir de l'appartement est moins agréable que passer dans ma chambre. Dans le couloir, on croise forcément mon frère Igor, quinze ans, un cerveau mal raccordé à un corps qui a grandi trop vite. Il ne parle pas, il meugle et, le plus clair de son temps, il fait les cent pas dans le couloir. Il cherche comment nous enquiquiner, ma mère, ma sœur ou moi. Impertinent du matin au soir, il a mis une raclée à ma mère, et elle s'en remet difficilement.

L'incident remonte à une semaine, et Igor n'a toujours pas demandé pardon. Mon père a exigé des excuses qui ne sont pas venues, il a oublié de gifler mon frère en représailles, et ma mère lui en veut. D'autant que ma sœur, Aline, dix-sept ans pourtant, mais toujours en crise, a ri. Oui, elle a ri en regardant mon frère gifler ma mère, tout en portant la main devant la bouche parce qu'elle est complexée des dents. Voilà pourquoi on me torture avec les miennes. Le sourire dure toute la vie, mais Aline a fait n'importe quoi avec son appareil dentaire. Il a longtemps voyagé dans sa poche, avant de finir dans la mer. Papa et maman ont sévi. On s'occupera de son sourire quand elle sera assez responsable pour ne pas gâcher l'investissement. De toute façon Aline ne sait pas encore si elle aura envie de sourire plus tard. Elle n'est pas fixée sur son avenir. Elle alterne les looks et, là encore, elle hésite entre naturelle-pull troué-pieds sales-cheveux crasseux ou sophistiquée-veste rose-ongles peints-crinière de lionne. Elle a déjà mis deux ans à trancher entre talons plats et talons hauts. Elle se cherche. Je voudrais, si possible, me trouver plus rapidement qu'elle. En tout cas, je jure de ne jamais passer par le stade des mules. Je serais contrariée de faire autant de boucan qu'Aline en marchant.

Depuis la gifle, l'ambiance est pourrie, à part dans ma chambre, à part dans le zakouski que je m'enfile, bien contente d'être épargnée par l'agitation.

Épargnée si on veut parce qu'une ambiance dans une maison en guerre ressemble à celle d'une tête sans passe-montagne sous une tempête de neige. Je me carapate dans mes papillons personnels, mais l'atmosphère lourde et sombre trouve moyen de se glisser sous ma porte. Maman a reçu une gifle parce qu'elle avait demandé à mon frère de ranger son sac de sport et ses baskets. Il ne l'a pas fait, elle a insisté, il a répondu, elle l'a menacé, et il l'a giflée. Au lieu de lui rendre sa torgnole, ce qui aurait été beaucoup plus simple, elle s'est figée sur place, et ma sœur a éclaté de rire. J'ai pointé mon nez dans le couloir et contemplé avec curiosité, et horreur à la fois, ma mère avec la trace des doigts de mon frère sur sa joue. Les larmes stagnaient dans ses yeux au lieu d'estomper les empreintes de phalanges. La situation m'a semblé bloquée. Lâchement, j'ai refermé ma porte et écouté la suite des événements en me camouflant derrière.

Aline a pris la première. Ma mère l'a traitée de peste, de peau de vache et de gourde. Les trois en bouquet. Alors Aline s'est mise à pleurer et a claqué la porte de sa chambre. Ma mère l'a rouverte et a hurlé, avant de la claquer à son tour, expliquant que le bois des portes était précieux. Toujours à l'abri derrière la mienne, j'ai attendu la suite. Je pensais qu'il allait se passer un rebondissement, mais rien. Soudain, je n'ai plus entendu que de l'eau qui coulait dans la salle de bains.

Quand mon père est rentré, nous étions tous enfermés dans une pièce, chaque enfant dans sa chambre, et ma mère toujours dans la salle de bains. Une mouche arpentait le couloir. Niveau ambiance, on se situait après l'orage sans espoir d'arc-en-ciel. Et avec beaucoup, beaucoup, beaucoup de « scories », terme favori de dame Météo à la télévision.

Comme je suis la préférée de papa, il est d'abord venu me voir, et j'ai fait celle qui n'était au courant de rien. Feignant d'être débordée par ma rédaction, je lui en ai énoncé le sujet : « Racontez la chambre de vos rêves. » Il ne s'est pas attardé, mais m'a promis de revenir un peu plus tard pour la lire. Je n'aime pas quand une ambiance l'attend. Je voudrais l'épargner, lui proposer de s'asseoir bien au chaud sur un petit fauteuil, comme un bon zakouski sur un Sopalin. Mais j'ai vu dans ses yeux qu'il avait d'autres chats à fouetter. À commencer par ma mère qui peut faire la tête des heures. Je l'ai laissé filer. Et j'ai repris mon poste derrière la porte pour écouter la suite.

« Non » a été la réponse de maman quand papa a toqué à la porte de la salle de bains. Dans la foulée, il est allé chez ma sœur qui a aussi répondu « non », mais beaucoup plus fort. Elle pleurait toujours. Il s'est donc dirigé vers la chambre de mon frère qui lui a lâché un « quoi ? », deuxième mot que j'entendais de lui de la journée, après « non », qu'il avait donc prononcé à dix-sept heures cinquante-neuf, refusant d'obtempérer. Et qui avait, à dix-huit heures trois, après rebondissements, valu une gifle à ma mère. Je détenais donc la vérité sur le déroulé des événements, mais papa n'est pas revenu me voir.

Maman est sortie de la salle de bains et elle est entrée dans sa chambre, dont elle a refermé la porte avec assez de bruit pour signaler à papa qu'elle avait changé de pièce. Savoir mon père avec mon frère qui allait trouver mille excuses pour l'embobiner l'exaspérait. Je connais maman comme ma poche, elle aime bien avoir raison.

Elle devait être à peu près dans la même position que moi, mais derrière sa propre porte. Nous n'aurions eu qu'à faire tomber les murs et tous rire de nous découvrir dans nos postures de malheur, mais non, nous étions bien accrochés à notre peine. Nous y tenions sûrement davantage qu'au dîner. C'était dommage. J'étais malheureuse. J'ai démarré mon moteur.

Comme d'habitude en temps de guerre, j'ai eu droit à un petit plateau dans ma chambre que maman m'a déposé pour m'épargner. Mais sa caresse dans mes cheveux m'a plutôt attristée. Quand elle se dispute, elle nous montre qu'elle remplit son devoir. Pour le reste de la famille aussi, elle a préparé le dîner. Elle l'a posé sur la table de la cuisine. « Et maintenant débrouillez-vous », a-t-elle déclaré à tout le monde et à personne, avant de me rejoindre dans ma chambre.

J'ai retiré l'oreille de ma porte juste avant que maman entre. Je lui aurais bien dit de se fâcher avec mon frère, ma sœur et pas avec papa, mais je savais, pour l'avoir déjà tenté à de nombreuses reprises, qu'il était préférable de ne pas m'immiscer dans leur couple. Pourtant j'aurais trouvé assez juste qu'elle fasse la tête à qui de droit – Igor –, mais pas à mon papa qui était absent au moment de la gifle. Quant au rire d'Aline, franchement, j'étais partisane de laisser tomber la rancune, comme les murs. Mais ici, on fait des ombres avec rien. Je ne dis pas qu'une gifle n'est rien, mais parfois un seul mot de travers dégénère. Et mes parents cessent de s'aimer. Pendant des semaines. Des mois quelquefois. J'attends de pouvoir m'enfuir avec papa. Je ne sais pas quand, je ne sais pas comment, mais je suis certaine qu'un jour on les laissera tous en plan.

Oh ! maman, bien sûr, me manquera ! Néanmoins, je lui en veux tellement de faire du mal à papa avec sa bobine de dix mètres de long. Si elle lui souriait, je suis certaine qu'il trouverait la force de gronder mon frère. Il n'a aucune envie de lui faire plaisir ou de la défendre quand elle claque la porte, je peux le comprendre. En plus, elle devient moche. Son visage est dur. Elle sort ses yeux béton. Et ses mâchoires requin. Esthétiquement, elle n'est pas toujours au top. Je m'en veux de penser ainsi, mais je suis quand même la compagne idéale de papa. Je suis jolie. Quand ça va et quand ça ne va pas.

4

J'arrive à oublier l'ambiance de la maison pendant le collège. Mais en fin d'après-midi, quand la sonnerie retentit, mon ventre se noue de plus belle, d'autant que la cousinade approche. Comme chaque année, nous allons nous retrouver le temps d'un week-end dans un gîte avec tous les cousins. Si papa et maman sont fâchés l'un contre l'autre, les cousins vont nous plaindre et moi, je veux être enviée. Je me souviens de la cousinade d'il y a deux ans. Oncle Viande et Amélie ne se sont pas adressé la parole. Alors les jumeaux ont été harcelés de questions. Igor leur a même demandé s'il n'était pas trop horrible de vivre en compagnie de parents aussi muets.

Vu le temps que maman prend pour se remettre des événements, je peine à croire qu'elle aille mieux d'ici un mois et demi.

La gifle remonte à dix jours, et on en est tous plus ou moins au même point. Ma sœur s'est vaguement rabibochée avec ma mère, mais mon frère n'a toujours pas demandé pardon, et maman lui a fait savoir qu'il était désormais trop tard pour essayer.

Nous dînons à nouveau tous ensemble, la conversation est compliquée puisque ma mère ne parle plus à mon frère. De son côté, ma sœur boude, et on est toujours au bord d'une nouvelle discorde entre maman et elle. On dirait que maman le fait exprès. Elle tombe pile à côté, quoi qu'elle dise. Surtout à propos de Pascal, le copain d'Aline sur lequel maman émet les plus grandes réserves. D'abord, il regarde ses baskets éculées quand il lui dit bonjour, si encore il dit bonjour. Ensuite il ne parle pas, mais marmonne, et maman trouverait de bon aloi qu'il lève le nez.

Quand maman, avec son air de ne pas y toucher, arrive à glisser dans la même phrase que Pascal est mal dégrossi, mal chaussé et peu disert, Aline se vrille. Elle la traite de maniaque et d'obsédée des baskets. En plus, Aline est en passe d'attraper un gros derrière. Maman la soupçonne de manger du chocolat en cachette. Sa mauvaise façon de s'alimenter est un autre sujet de discorde entre elles deux. Depuis que le sucre lui donne des boutons, maman détient la preuve de ce qu'elle avance, et Aline n'a de cesse de lui opposer que sa vilaine peau vient du stress occasionné par les réflexions de maman.

Papa et maman ne se parlent plus, mais papa se force à ne pas s'adresser à mon frère pour ne pas envenimer la situation avec ma mère si tant est qu'elle puisse l'être. Conclusion : pour meubler le silence, on me parle. Encore heureux que je ne me fasse pas gronder parce que je réponds la bouche pleine.

Lorsque ça les arrange, ils ont tous quelque chose à me demander, à m'expliquer, et je prends à cœur de les satisfaire. J'endosse le rôle de tampon entre chaque membre de ma famille. Cependant, j'aimerais bien qu'on n'oublie pas que j'ai une âme. Même si je fais travailler mon petit moteur pour ne rien sentir, j'ai tout de même pas mal envie de pleurer ces temps-ci. Et l'idée de grandir comme Aline ou Igor m'angoisse plus qu'elle ne me réjouit.

Ce n'est pas le moment de le leur avouer, alors je me confie à mes doigts. Main droite, j'héberge une famille de cinq personnes qui se font la guerre. Main gauche, j'ai une famille de cinq personnes qui s'entendent bien. Il y a la main que je ronge et la main qui va bien. Avec l'une, je caresse l'autre. J'oblige mon index droit, Igor, à écouter ce que lui conseille mon index gauche, Igor version de rêve, puis je les dessoude en espérant que la leçon est assimilée. J'ai instauré mon petit rituel, mon concerto pour deux mains. Je dors les mains jointes, j'espère un mieux. Ma famille de doigts a séduit Mme Blin jadis. Mais ce n'est pas parce qu'elle aimait mes idées qu'elle devait me piquer mes samedis.

Maman veut m'épargner, aussi, à la fin du dîner, elle m'envoie dans ma chambre tandis que les autres débarrassent. Quand je ne suis pas dans la pièce, j'ai toujours l'impression qu'on me cache des choses. Quelquefois j'imagine que tout le monde se réconcilie en se sautant dans les bras, alors, pleine d'espoir, je sors à nouveau de ma chambre, mais immédiatement, à l'épaisseur de l'air ambiant, je comprends que tout a sauté, mais pas dans les bras.

J'aimerais beaucoup aller dormir chez Marie, mais j'y penserais aussi en étant chez elle. Je ne peux me sentir heureuse et légère ailleurs que si tout va bien chez moi. Je n'arrive pas à m'amuser quand je sens mon papa malheureux. Et puis maman devrait mûrir un peu et se moquer d'Igor. Il est adolescent. On sait tous que l'âge bête est un mauvais moment à passer. Quand il faisait ses dents, il était sûrement beaucoup plus ennuyeux. Si elle ne supporte pas les querelles, il ne fallait pas nous fabriquer. Les enfants sont des soucis. On l'apprend dès les poésies.

Je prépare ma valise mentale en cas de départ précipité. Je me dis que papa pourrait soudain me proposer de m'évader. Il me donnerait dix minutes pour préparer un paquetage définitif. Je sais déjà ce que j'emporterais. Mes socquettes blanches. Mon ours bleu. Mon album de photos. Ma trousse. Mon sac à dos. Ma boîte à bijoux. Mon journal intime. Son cadenas. La clef. Ma boule de neige océan. Un peu du parfum de maman sur son foulard rose et gris. J'ai aussi plusieurs valises mentales complètement vidées de la présence de maman. Mon jeu électronique s'inscrit dans la liste, mais souvent je le retire. Je n'aimerais pas décevoir papa. Il s'interpose rarement entre mon jeu et moi, même si je sais qu'il préfère me voir dessiner. Alors j'ai beau aimer ma DS, je lui préfère la fierté de mon papa. À regret, je l'abandonne, avec un mot stipulant que je la lègue à Marie. Et puis j'ajoute également un mot pour Aline, avec beaucoup de tendresse dedans. Pour Igor, je n'arrive pas à écrire quelque chose. Sauf quand il a son regard apeuré et son air de gamin. Mais il l'a de moins en moins. En ce moment, il vire plutôt à l'homme raté. L'imaginer adulte me fait froid dans le dos. S'il continue sur sa lancée, il va devenir un amalgame de tout ce que je déteste chez les gens, aussi faux qu'un âne qui recule, jamais content, pas aimable. Et poilu comme un singe. Si j'ai le choix, je cesse de grandir et je reste moi. Mignonne. Joviale. Fraîche. Onze ans d'âge.

Pour maman, c'est compliqué. Quand je l'éjecte complètement de ma valise, je ne lui écris rien. Mais quand je remets son foulard parfumé dans mon paquetage, je lui laisse une lettre longue comme un livre où je m'exprime exactement comme elle avec Pascal. Je procède par phrases courtes qui contiennent tout. À la fois mon amour et puis une ou deux vérités pour qu'elle ne puisse jamais me reprocher mon départ. J'en profite pour évoquer les beaux moments que nous avons partagés depuis ma naissance, et entre ceux qui m'ont été racontés, ceux dont je me souviens et ceux que j'invente, j'ai de quoi noircir des pages et des pages. Le volume de mes écrits sera rassurant quand, seule face à son destin, elle n'aura plus que ma lettre pour comprendre sa vie. Je souhaite trouver les mots qui la rendent heureuse. Aussi je lui assure que tout ira bien puisque je suis joyeuse désormais. Depuis que je suis petite, elle m'explique que l'essentiel pour des parents est de savoir leurs enfants heureux. Si elle dit vrai, alors elle n'a aucun souci à se faire. Je serai heureuse, avec papa.

5

Il y a autre chose. Je le vois sans le voir et je le sens sans le sentir. Mais le fantôme rôde, dans sa blouse blanche, derrière son masque de papier, avec les petits élastiques là, au-dessus et au-dessous des oreilles. Il tire les lèvres de maman vers ses yeux. Sourire assuré le mercredi à quinze heures. Je n'ai pas l'âge de voir, ni celui de comprendre, alors je baisse le nez, mais je vois avec mes dents.

Je ne me confie à personne et pourtant j'aimerais bien. Mais à qui pourrais-je dire que ma mère et le docteur Croc sont tombés amoureux ? Voilà le lourd secret que je porte, bien plus encombrant qu'un appareil dentaire. Pas besoin de me faire un dessin, je vois tout, j'entends tout et je comprends tout. Enfin non, rien. Je ne comprends pas que l'on puisse tomber amoureux de Croc. Surtout à l'approche de cette cousinade où chaque famille est censée rivaliser d'harmonie.

Je situe le début de leur affaire entre la fin de mon appareil amovible et le début de mon appareil fixe. J'ai enregistré une main dans le dos qui glissait un peu trop lentement. D'accord, il arrive que les médecins passent la main dans le dos de leurs patients, mais ce n'est pas sur le mien que Croc a passé sa main, mais bien sûr, sur celui de ma mère. À tel point que je me suis demandé si le docteur Croc n'était pas un peu orthopédiste.

Depuis, j'examine leur affligeant manège. Quand je ressors de chez le docteur Croc, j'essaie d'oublier. Mais le souvenir me revient le mercredi suivant quand j'y retourne. Entre-temps, je rejette les images et les idées. Dans la corbeille de mon gros ordinateur cérébral, je n'ai pas encore trouvé la touche «Vider», alors j'ai beau jeter, il me reste un paquet d'informations, d'indices, d'images.

Ils s'amoncellent dans un recoin de mémoire morne. Tout cela est très compliqué. Et sûrement pas de mon âge, je le sais.

D'après ce qui se dit dans le monde adulte, l'amour met de bon poil. On raconte que ce sentiment recherché par tous transporte sur les hauts plateaux de l'humeur rose. On ajoute que les débuts de l'amour sont renversants et les suites souvent émouvantes. On explique que l'amour se transforme au fil du temps, mais reste fort. L'amour a des muscles. Un cerveau. Il sert à résoudre les conflits, à dépasser les frontières. Il y a de quoi l'attendre en effet, ou le chercher. Sauf que la magie ne fonctionne pas à tous les coups. Chez ma mère, l'amour coince. Maman est aussi sombre qu'avant l'affaire de la main dans le dos. À quoi sert-il, alors, cet amour qui rend gai ?

À redresser mes dents. Sourira-t-elle enfin quand j'aurai les dents droites ?

Entre elle et papa, il y a peu de disputes sonores. Je devine seulement qu'ils sont fâchés lorsque maman ne le regarde plus. Elle tourne la tête de l'autre côté et, même quand elle lui tend le plat de purée, elle me sourit. Ils me prennent pour une patate. Mais ils veulent m'épargner. Encore. Ce qui m'épargnerait serait que maman quitte le docteur Croc et redevienne fidèle à mon père. Je rêve pour eux d'une chose qui n'arrivera pas : sortir du noir et repartir dans le blanc. « Avec trois gosses, dit maman, le couple bat forcément de l'aile à un moment. »

Mais battre de l'aile signifie voler, non ? Alors qu'ils volent ! Mais ensemble.

6

J'ai fini par me confier à Marie. Si je ne lui parle pas, à elle, je ne sais pas à qui le faire. Elle m'écoute sans sourire, je guette sa réaction, mais elle reste impassible le temps que je vide mon sac. Elle en connaît un rayon sur l'amour et même sur l'adultère – mot nouveau à retenir et à oublier en même temps – parce que sa mère a trompé son père et qu'il a pardonné. Ensuite tout a recommencé entre eux comme avant, sans ombre au tableau, dixit son père. Marie me promet que tout s'arrangera. Elle pense qu'aujourd'hui est différent d'hier. Les hommes et les femmes se trompent. Selon elle, ils continuent à s'aimer quand même. Il faut que je m'intéresse à moi, que je me fabrique mon univers personnel et que je reste bien extérieure à tout ce qui se trame autour. Rien ne va contre moi. Marie m'assure même que je peux tirer un grand bénéfice de ce chaos.

Quand j'ai raconté à maman l'histoire des parents de Marie pour tester sa réaction, elle n'a pas bronché. Mais quand je lui ai dit qu'ils étaient redevenus aussi amoureux qu'avant, elle m'a répondu : «Tu parles ! Entre ce qu'on dit et ce qui se passe vraiment... il y a une marche, un fossé. »

Et elle a ri comme si elle s'adressait à une amie de son âge, ce qui m'a choquée du haut de mes onze ans. « Mais papa n'aimera jamais une autre que toi, n'est-ce pas ? » lui ai-je lancé.

Elle a éclaté de rire à nouveau avant de dire : « Si. Toi ! »

J'ai pensé qu'elle oubliait ma sœur Aline, je me suis demandé pourquoi, et pendant que j'y étais, si Aline n'avait pas été adoptée. Décidément, les conversations autour de l'adultère ne me valent rien de bon. Elles remettent en doute mon existence et installent un mystère de trop sur ma conscience. Je porte sans pouvoir le dénouer un secret qui ressemble à un nœud et contient, serrés serrés, mon père, ma mère, nous tous ensemble. Si j'arrive à défaire ce nœud, chacun retrouvera sa respiration, et tout repartira comme avant.

7

Avant, c'était bien. Ma famille habitait un arc-en-ciel. Aux cousinades, j'étais fière. Mes parents s'entendaient bien. Les oncles et les tantes enviaient leur connivence. Les cousins enviaient notre chance. Les couleurs ont changé, et les choses ont pourri quand mon frère est devenu idiot. Elles avaient déjà commencé à verdir lors de l'entrée en quatrième de ma sœur, qui avait insisté pour étudier le portugais en deuxième langue. Mes parents s'y étaient opposés. Pourtant ils étaient tous les deux d'accord, et mieux, d'accord contre elle. Une telle entente aurait dû les souder, mais Aline a gâché l'ambiance.

Aline avait rencontré Gonçalo à son cours de mime et souhaitait abandonner sa langue natale pour se consacrer à celle de Gonçalo. Elle ne jurait plus que par la brandade de morue. Elle était tombée amoureuse de lui et rêvait devant des photographies des plages de l'Algarve. Quand nous nous étions tous retrouvés à Montalivet pour les vacances, elle avait pleuré pendant quinze jours. Gonçalo lui avait téléphoné deux fois, mais elle ne parvenait pas à le comprendre, et ne pouvant rien lui mimer non plus, elle n'arrivait qu'à ânonner la rengaine portugaise qu'il lui avait enseignée. Mon frère se bidonnait parce qu'il reconnaissait *A Portuguesa,* l'hymne national du début des matchs de foot. Du coup, papa riait de bon cœur. Maman aussi. Mais un soir, Aline, qui pensait connaître avec *A Portuguesa* une chanson d'amour et non un hymne populaire, leur avait balancé : « Je vous hais. »

De la part d'une adolescente, un tel incident n'est pas forcément dramatique. Les injures viennent facilement avec les seins et les boutons. Or sa phrase avait pris des proportions vertigineuses.

Papa était d'avis de laisser passer, laisser couler, laisser tomber. Et maman, de punir, sévir, interdire. Devant Aline, ils arrivaient à partager le même discours, mais dans son dos ils étaient totalement opposés. Je crois que maman ne supporte pas qu'on ne partage pas son point de vue. « La contredire est la trahir », dit papa. Enfin, a dit papa. À quelqu'un. À moi. Mais je ne suis pas censée l'avoir retenu. Il a lancé cela récemment. Et après ? Il a soupiré.

Papa et maman ont donc fini les vacances avec ma serviette calée entre leurs deux draps de plage, ce qui est toujours très mauvais signe. Quand ils s'aiment, papa et maman se tiennent côte à côte avec un bout de peau qui se touche. Soit les épaules, soit les doigts, soit les pieds. Ils en sont même carrément agaçants à ne pas pouvoir se déscotcher. Soudain, plus rien ne s'effleurait, pas même leurs mots. De son côté, Aline avait décidé de bouder complètement, sans intermède, même au moment du Miko de quatre heures que nos parents nous envoyaient chercher. Et chaque fois qu'Aline refusait son cornet de glace, si possible d'un haussement d'épaules, ma mère ne pouvait s'interdire une réflexion dont mon père accusait le coup à la place de ma sœur, d'un air meurtri. Ma mère se levait, tortillait du derrière comme elle pouvait, pour montrer qu'elle avait son succès auprès des types de la plage, et se rasseyait dans la foulée parce que, même quand ils sont peu nombreux, elle assume mal les regards.

Gonçalo avait saccagé ma famille. Mon père était gris sur la plage bleue, et ma mère en était réduite à se dandiner pour virer au rose et se prouver qu'elle existait. Dedans, elle se sentait de moins en moins solide. Depuis ce mois de juillet, je voue au Portugal une haine sans bornes. J'ai collé un chewing-gum sur ma mappemonde lumineuse pour faire disparaître ce pays. Après, je ne me suis sentie ni mieux ni plus mal. « Peut-être moins européenne », ai-je conclu chez Mme Blin pour lui plaire.

Quand Gonçalo a arrêté le cours de mime, il n'a pas prévenu Aline. Il a cessé de lui téléphoner, et mes parents ont compris qu'elle connaissait son premier chagrin d'amour. À moi, elle s'est confiée. Quand Aline se confie, je me transforme en poubelle. Elle se vide. Mais jamais la benne à ordures ne passe ensuite me décharger de ce poids. Elle me parle comme à une amie et ne s'intéresse pas à mes réponses. Son but est de s'exprimer, pas de m'écouter. Alors je ne me donne plus de mal et je scande ses confidences de « T'en fais pas ». Elle croit que je la comprends. Même si, objectivement, le sentiment qui la porte vers Gonçalo fait partie des mystères majeurs de mon existence. Un soir, au bout du rouleau, sans pour autant regretter les précédents, mais peut-être lassée par mes commentaires plats, elle a ouvert son cœur à notre mère qui lui a assuré : « Un de perdu, dix de retrouvés. »

Mon père, voyant qu'Aline se fermait, a discrètement modéré les propos de maman en consolant Aline. Aline s'est empressée de le répéter à maman qui s'est claquemurée à son tour. Et mon frère en a profité pour aller prendre l'air, malgré son interdiction de sortie. Il a fait le mur. Mais il m'a prévenue. J'ai donc passé la soirée à mordiller mon poing, craignant que ma bouche ne s'ouvre toute seule pour me débarrasser de mon secret. J'ai envoyé des flèches et des fleurs vers le ciel, mais je ne savais plus contre qui.

La mère de Frédo a téléphoné à vingt-trois heures. Son fils avait disparu. J'ai entendu maman entrer dans la chambre d'Igor. Le cri poussé par maman en découvrant le lit vide se situait entre le caquètement et le râle, et j'aurais été bien incapable de dire quel animal elle imitait. Je me suis enfouie au fond du mien. Mon animal de défense à moteur et batterie autonome, heureusement. Parce que personne n'était prêt à y mettre de l'essence. La maison manquait cruellement d'énergie. Je me suis donc repliée, puis j'ai attendu.

Pas longtemps. Igor est rentré à minuit. Papa et maman le guettaient dans le salon. Je n'ai pas pu m'empêcher d'aller caresser de l'oreille ma porte de chambre. Je préférais savoir ce qui m'attendait. J'avais parfois essayé de me mettre la tête sous l'aile, mais je tombais de bien trop haut ensuite. Comme ma sœur et moi étions couchées, mes parents ont crié tout bas. À un moment, la voix de papa a pris le dessus, et celle de maman s'est éteinte. Quelquefois, je suis tellement proche d'elle que je me sens carrément dans maman, et j'ai senti qu'elle respirait. Elle devient si paisible quand papa hausse le ton. J'ai regardé papa avec admiration, exactement comme maman l'a fait à ce moment précis. De ma chambre, j'ai accompagné son index qui a indiqué à Igor la direction à prendre pour aller se coucher. La porte d'Igor s'est fermée sous l'autorité paternelle, puis j'ai entendu des rires étouffés. Papa et maman étaient réconciliés et se bidonnaient. J'ai regardé mon poing criblé de traces de dents. Et je l'ai levé au ciel en signe de victoire.

Au petit déjeuner, papa et maman se sont lancé des regards énervants avec tout leur amour dedans. Je n'aime pas quand ils se font la tête, mais je n'aime pas quand ils n'en ont plus que pour eux. Rien n'existe autour. Même pas moi. Je n'ai pas voulu savoir ce qu'ils avaient trafiqué pendant la nuit pour en arriver à cette béatitude, mais je me suis trouvée rejetée en bout de table. Mon frère avait du souci à se faire quant aux punitions prévues. J'ai cru entendre « privé de sortie pendant un mois ».

Quand il nous a rejoints pour prendre son petit déjeuner, papa et maman l'ont dévisagé et ne lui ont pas parlé. Il avait l'air tout petit, Igor, à ce moment-là. Son visage m'est resté gravé dans l'œil droit. Je crois qu'il avait peur, alors j'ai eu pitié. J'ai dû partir à l'école et n'ai pas pu m'occuper de son cas tout de suite, mais j'ai décidé de le faire plus tard.

Malheureusement, je n'ai pas eu à intervenir, car papa est revenu sur la punition. Il l'a réduite à un week-end. Maman, entendant cela, s'est fermée. Et tout a dégénéré en cinq secondes sous ma prunelle gauche. Elle avait les yeux gavés de reproches envers son mari pourri. « Sans consistance », lui a-t-elle lancé entre les dents. Aussitôt j'ai regretté leur connivence sous la nappe, je m'en suis voulu d'avoir détesté le bout de la table. Hélas ! je pouvais être rassurée : j'allais réintégrer le centre.

8

Le docteur Croc me fait dessiner sur une feuille avec des cases. Des dessins noirs quand je me suis lavé les dents, des dessins en couleurs quand j'ai oublié. Un dessin par case et une case par jour. Mais comme je suis rigolote, même quand je les lave, je dessine en noir parce que la page devient plus intense et complètement flippante. Avec maman, le docteur Croc rêve de cases roses et rouges, et moi, je gribouille des espèces de cubes sombres pour les angoisser et surtout pour montrer à papa qui s'en tamponne le coquillard que je maîtrise la perspective. Ah, leurs têtes ! Je dois prendre garde à ne pas trop en faire non plus parce qu'ils sont capables de me renvoyer chez Mme Blin. L'orthophoniste était une idée de

Croc au départ. « Elle tète sa langue », avait-il déclaré à maman d'un air endeuillé. Évidemment que je tétais ma langue, il m'empêchait de sucer mon pouce.

Je les regarde. Je me promets à chaque fois de regarder ailleurs, mais je n'y arrive pas. Je me les prends en pleine figure. Maman qui fait la tête à la maison ressort ses dents pour l'occasion. Du papillonnage de la lèvre supérieure au regard flou façon actrice de cinéma, elle lui sert tout son savoir en matière de séduction. Elle me fait penser à Lulu, l'épagneul de mes grands-parents quand il veut un gâteau. Même charme, même méthode. Tout y passe, y compris la tête penchée sur le côté. Son *susucre*, c'est la main du docteur Croc dans son dos. Tandis que j'ai la bouche ouverte sur le siège inclinable que les vieilles affectionnent « pour son très grand confort », m'explique-t-il comme si j'allais trouver son propos intéressant, maman se prépare à recevoir sa main dans le dos. Près du siège, ce n'est pas moi qu'elle soutient, mais lui qu'elle allume.

Allumer : se faire plus lumineuse que la lumière. Dans le cabinet d'un orthodontiste, rien de plus simple. L'espèce de lampe à dents qui plane au-dessus de ma bouche irradie de lumière jaune, crue. Je la reçois comme une paire de gifles et je me tais, évidemment que je me tais ! Avec tout l'attirail qu'il me fourre dans le bec… Croc m'a trouvé trois caries, pourtant je ne mange pas de bonbons. Mais « certaines personnes les fabriquent », a-t-il expliqué à maman qui lui roulait des yeux de merlan frit. Je ne peux pas dire que je souffre. « Le docteur Croc est très doux », comme précise maman aux mères de mes amies quand elles sont en quête d'un bon orthodontiste pour leur progéniture. Oh ! elle sait de quoi elle parle.

Puis il refuse qu'elle lui paie la consultation, il dit qu'ils verront tout cela ensemble plus tard. Plus tard ? Quand je pense à mon papa qui ne demande qu'à passer la main dans le dos de maman, je suis révoltée. Ce matin encore, il s'est approché d'elle. Je n'étais pas censée les voir puisque j'étais partie mettre mon manteau et vérifier mon cartable. Mais quand il y a querelle sous mon toit, je me dépêche. D'une part parce que j'ai hâte d'être à l'école et d'autre part parce que maman ne supporte pas que je traîne quand elle en veut à papa. Du coup, rapide comme l'éclair, je suis arrivée un peu tôt à la porte et j'ai entendu papa dire «Allez», en posant la main sur l'épaule de maman, et maman lui répondre «Allez, ouste!» en se dégageant brutalement. Ambiance… Je me dis qu'on n'est jamais à l'abri d'un petit baiser volé, alors j'ai attendu quelques secondes avant de faire mon apparition. Dans les films, j'ai parfois constaté qu'une femme qui se refuse peut très bien se donner l'instant d'après. Pas chez les Pinsault. Chez nous, blanc c'est blanc, noir c'est noir. Et long, c'est long.

Après le docteur Croc, maman me propose d'aller marcher dans la forêt. Je n'ai pas envie de marcher dans la forêt et encore moins de marcher avec maman. Elle me fait assez marcher, à me prendre pour une bille qui ne voit rien quand elle se dandine. Navrée par mon manque d'intérêt pour la forêt, elle suggère un tour au centre commercial. Si elle compte s'acheter un soutien-gorge, merci bien. Déjà, mercredi dernier, elle a tenu à avoir mon avis sur une paire de chaussures. Je n'en ai rien à cirer de ses chaussures, et encore moins quand elles se haussent sur un talon piquant. J'ai onze ans, mais je me doute que des escarpins aussi pointus, vernis en plus, lui servent seulement à faire sa miss Monde. Et miss Monde sans papa, c'est révoltant. J'aime encore mieux miss Forêt.

Nous marchons donc dans la forêt, je voudrais qu'elle entende mon petit moteur, ma grande révolte. Mais elle s'extasie sur le chant des oiseaux. Je ne sais pas ce qui lui prend à copier papa dont elle raille sans relâche la fascination pour la nature. Elle ne sait pas ce que signifie traîner dans la rue à la recherche de la poésie. Le samedi matin, elle cire ses chaussures pour le mercredi, elle rêve de dents, de couronnes peut-être. Tout ce qu'elle obtiendra sera un peu de plomb. Et si le samedi elle n'était pas à la maison mais au cabinet de Croc ? Et si la promenade lente avec papa était une façon de leur laisser du temps ?

Maman m'attrape la main. Elle me dit :

– Je sais, tu sais.

Je sais, tu sais ?

– Je sais, tu sais, poursuit-elle, que l'ambiance n'est pas rose en ce moment. Les grands sont difficiles, ils sont en plein âge bête, mais tout s'apaisera un jour. Ils se rendront compte quand ils auront des enfants de la difficulté à devenir parents…

Bonne nouvelle. Je ne voudrais pas abuser en mettant mon grain de sel, mais à écouter maman, toute cette affaire va prendre du temps. Et bien sûr, miss Forêt n'a rien fait de mal. L'œil de biche qu'elle adresse au dentiste compte pour du beurre. Elle préfère s'attaquer de façon grandiloquente – je tiens à le faire remarquer –, à l'attitude de ses enfants. Pas étonnant avec une mère comme elle que nous dégénérions en grandissant. Je ne serai pas meilleure que ma sœur et mon frère. Je lis dans l'avenir : Nancy Pinsault, future rebelle en échec scolaire au moteur cassé.

Et si je ne souhaite pas ça pour moi, je le souhaite pour maman, et surtout… qu'elle souffre.

Je pense à sa souffrance, et au même moment, je la regarde, à l'abri sous les arbres de la forêt moche. Elle ressemble à une feuille humide, frêle et veinée de bleu. Elle serre le col de son manteau contre son cou, elle a froid. Je me demande si elle sait qu'elle agit mal. Je voudrais savoir. Mon petit moteur s'emballe. Je me tais, je n'aime pas les cris du cœur qui peuvent me rendre adolescente. J'ai trop de recul sur les choses, et ma sœur Aline me fatigue avec sa grande gueule. Je les trouve entre pâles et grotesques, c'est-à-dire couleur catastrophe, ses crises de jeune fille. Pousser des jappements pour marquer mon mécontentement me semble ridicule. Je garde pour moi ce que je sais. Je me tiens informée. Si les autres ne veulent pas comprendre que je suis géniale, libre à eux. Moi, je tire des conclusions, et j'avance : si l'amour se révèle forcément décevant, autant aimer peu au départ. Aimer peu au départ est bien plus intelligent qu'aimer moins à l'arrivée.

Miss Forêt s'est mise au yoga le mois dernier. Cela me vaut ces élans pour la nature, elle qui ne jurait que par la ville. J'aurais dû me douter, la voyant s'appliquer à faire l'alouette ou le réverbère, qu'elle ne tournait pas bien rond. Mais jusqu'à la main du docteur Croc dans son dos, je n'ai rien vu venir. Papa a été conciliant. Il ne s'est jamais moqué de maman, alors qu'Igor et Aline s'en sont donné à cœur joie. Il faut dire que sa souplesse laisse à désirer. Quand elle enchaîne la salutation au soleil et la patte en l'air du renard constipé, elle ressemble à une spatule.

Je voue une haine au yoga parce que j'associe le début de la pratique avec le début de l'histoire d'amour entre le docteur Croc et maman. Jadis, Mme Blin m'avait appris à ainsi marier les drames. Je sais désormais associer les choses : je me ronge les ongles quand Igor tape maman, je mange mes joues quand Pascal pointe son nez et qu'aussitôt je crains les réflexions de maman. Je plisse les yeux quand papa jette son manteau mouillé sur le canapé neuf et que je pressens une dispute. À chaque drame son attitude. Mon petit moteur se charge d'envoyer vers mon cerveau le degré d'intensité de mon sentiment, qu'il s'agisse de peur, de peur ou de peur. Oui, j'ai peur. La peur me dévore. J'ai peur que ma maison ne s'écroule. Parfois j'ai l'impression qu'il ne me manque presque rien pour être heureuse, juste la faculté à me ficher de tout et à ne penser qu'à moi. Mais comment l'attrape-t-on, cette faculté-là ?

9

La cousinade est un rassemblement familial. Contrairement à l'oursinade, tradition provençale, la cousinade ne fait pas référence à ce qui est mangé. Dans la première, on avale des oursins. Dans la seconde, on se rassemble entre cousins. Le mois de mars est une mauvaise date, mais Carméla, à qui personne n'ose s'opposer parce qu'elle est prof d'histoire et de géographie, en a décidé ainsi. Après, ce serait beaucoup trop tard et avant, trop tôt. Par rapport à quoi, nul ne le sait. Ce que je sais, moi, c'est que rien ne colle avec l'entente de mes parents. Sur l'échelle du bien et du pire, ma famille se situe actuellement au pire du pire. Je l'appelle le « Pirée » afin de distiller un peu de poésie sur notre famille, car nous en manquons cruellement.

Véronique et Jean-Patrice ont été chargés de trouver un lieu et ont donc choisi un gîte en forêt. Nous partons en voiture, papa et maman en covoiturage à l'avant, moi calée entre le nouveau parfum chewing-gum d'Aline et le vieux parfum pieds-dessous de bras d'Igor. La voiture est sous haute tension. Papa regarde la route. Maman regarde dehors. Et mes aînés écoutent chacun leur MP3 pendant que je ne veux pas vexer papa en délaissant le livre en tissu *Petit Poney* qu'il m'a acheté exprès pour la voiture et avec lequel je m'ennuie depuis au moins neuf ans. Nous arrivons juste avant midi au gîte de la Forêt noire qui porte bien son nom, et la première phrase prononcée par Amélie qui court vers nous malgré les dix kilos de soucis pris depuis l'an passé est :

– Bienvenue les quiches !

Papa s'apprête à les sortir du coffre, mais maman l'en empêche avec un gargouillement dont elle a le secret. Elle parvient en quelque sorte, et sans lui parler, à lui dire merde. Les jumeaux arrivent en courant, ils ont hâte de retrouver Igor. Carméla compte les quiches pour vérifier qu'on ne manquera pas et rappelle à haute voix qui était chargé de s'occuper de quoi. À mesure qu'elle dresse la liste, les autres arrivants se joignent à nous et prennent l'air très concerné pour montrer qu'ils participent, surtout oncle Viande, qui n'aime pas être en reste. Je le sais parce que l'année dernière papa et maman ont imité tout le monde sur le chemin du retour. Ils ont promis de ne jamais louper une cousinade afin de rapporter encore mille anecdotes familiales, toutes plus sordides les unes que les autres. Quand ils s'entendent, papa et maman ont de l'humour.

– On attend Vanessa et Cyril avec le fromage, Barbara avec le goûter des enfants, Véronique et Jean-Patrice avec le pain…

Et là, je devine ce que mes parents pensent, même s'ils ont perdu la parole. Dommage qu'ils ne l'ouvrent pas pour se le dire, partager et rire.

Ils pensent que ce sont toujours les deux mêmes radins qui se chargent du pain, les deux mêmes égoïstes qui iront se coucher ce soir juste avant l'heure de débarrasser. Ils pensent qu'un barbecue en mars est une idée à la noix. Ils savent que Carméla va se disputer avec oncle Viande sur la méthode de cuisson des saucisses puisque bien entendu, avec cette pluie, le barbecue ne fonctionnera jamais. Ils trouvent désespérant que Barbara, en qui ils avaient cru un temps, se révèle la énième pingre de la famille. Elle s'occupe du goûter des enfants parce qu'elle travaille chez Brossard et obtient tous les pains au lait gratos.

Nous entrons dans le gîte, et je visite le dortoir des filles avec Aline. Elle l'inspecte avec dégoût. Coincée dans ses rêveries portugaises, évidemment, elle souffre. Je retrouve mes cousines Léa, Mathilde, Sabine, Raphaëlle et Lou. Les garçons sont plus nombreux. Igor, Perdican, Rodolphe, Milo, Malo, Romé, Côme et Polux. Qui fait aussi office de chien. Il n'y a qu'à voir comment sa mère lui parle. Carméla aboie. Elle ne sait pas s'adresser à son enfant avec délicatesse.

Même quand elle lui propose une pomme, elle lui crie dessus comme pour lui retourner une grande beigne. « Elle est vraiment spéciale », dit maman quand elle parle. « Elle est tarée », dit papa quand il l'entend.

Il n'y a pas à attendre la fin du déjeuner pour que Léa me demande si mes parents vont divorcer. Je me tourne vers Aline, espérant du soutien, mais elle balaie la table des enfants de la main et se replonge dans la lecture de *Yeap !*, dont elle prête la page de droite à Sabine. Je surveille mes parents du coin de l'œil. Assis à l'opposé l'un de l'autre et surtout pas en face, ils portent quand même quelque chose de commun sur leurs deux visages accablés. Carméla est furieuse parce que Vincenot dit qu'il trouve une actrice très sexy, alors elle répète un peu sur le même ton que ses « Tu veux une pomme ? » destinés à Polux :

– Sexy ? Ah ben, d'accord, il t'en faut peu, vraiment, elle met des décolletés et illico elle est sexy ! Sexy ! Tu ne manques pas d'air ! T'es sexy toi peut-être ?

Immédiatement, je me réjouis parce que Polux baisse le nez et devient le plus gêné de la bande des enfants, m'enviant mes parents muets. Bêtement, mes parents ne s'accordent pas le droit de se sourire, alors que d'ordinaire les réflexions brutales de Carméla les enchantent, ainsi que la technique de Vincenot pour la calmer. Il la flatte en l'interrogeant, montrant à tous que sa femme possède un immense savoir. Ainsi, il lui pose une question sur l'ère quaternaire ou les chefs-lieux de canton des îles Marquises.

On organise une grande partie de cache-cache dans la maison Pas de bol, je tombe sur maman qui se ronge les sangs derrière un rideau, puis sur papa qui regarde dans le vide pendant que Carméla lui raconte son dernier séjour avec ses secondes à Calcutta.

Les garçons montent un raid contre les filles, mais comme nous faisons trop de bruit, Carméla décrète la sieste généralisée. Elle est bien reçue par Igor qui lui lâche :

– Elle va bien, ta tête ?

Aline, plus poliment, reste à sa place, debout au milieu du salon, en répondant :

– Non merci, Carméla.

Carméla s'installe entre les deux dortoirs d'enfants et crie « chut » dès que l'un de nous parle.

Je sais, je sens, je vois presque papa et maman grincer des dents. J'ai la certitude que, si papa et maman se rabibochaient, nous prendrions la voiture dans l'autre sens, prétextant n'importe quelle urgence pour les planter tous là. Maman s'approche du dortoir en toussant.

Carméla, très contente d'elle, s'exclame :

– Tu as vu ? Ils font la sieste. Ils seront mieux après. Je déteste les enfants énervés.

Je tousse à mon tour. J'imagine un code entre maman et moi, mais Carméla me hurle :

– J'ai dit chut !

Ainsi se déroule l'après-midi du samedi, avant le goûter et le boulottage des pains au lait qui sont très bons même si Barbara ne les paie pas. Puis ce que l'on redoutait arrive. Le barbecue du soir sous la pluie, et la proposition de Jean-Patrice, qui est resté plutôt éteint toute la journée, de l'allumer à l'intérieur. Carméla pousse des hurlements. De ses cris je parviens à dégager les mots incendie, danger, pompier, démence et saucisse. Le principal.

Je regarde maman, je sais qu'elle ne m'abandonnera jamais sur le coup des saucisses. Elle désespère que je ne retienne de ces cousinades que la charcuterie, mais je ne vais quand même pas m'extasier un an sur des gîtes à l'ombre de forêts où l'on a froid même en juin.

Maman se propose de faire dîner les enfants. Elle s'empare d'une poêle, elle allume le gaz, et mes saucisses grillent alors joyeusement. Plus rien n'a d'importance que maman aux fourneaux.

10

Le dimanche est aussi épouvantable que le samedi. Papa et maman ont dû se disputer en silence, car leurs visages sont encore plus fermés que la veille. Quelle idée d'avoir des dents droites pour ainsi les camoufler ! Carméla n'aime pas qu'on dorme le matin. Elle a tapé dans ses mains parce qu'elle trouvait rigolo que le brunch soit collégial. Franchement, la tête d'oncle Viande au réveil a de quoi affoler la cafetière. Et celle d'Amélie, qui maquille sans attendre ses paupières gonflées de sommeil, n'est guère plus avenante. Elle flanque du rouge à lèvres partout. Avec mes cousines, on s'amuse à faire des bonshommes avec la mie de notre pain. Carméla ne nous laisse pas le temps de le manger, elle nous somme de cesser. Elle est allée à Calcutta, où les enfants sucent des pierres. Et pile au moment où un petit Indien en avale une, maman explose :

– Dis, tu vas arrêter de nous couper l'appétit avec tes voyages ?

Catastrophe, Vincenot sourit.

– Qu'est-ce qui te fait rire, toi, d'abord ? lui lance Carméla.

– Mais rien, chérie… Dis-moi une chose, je me demandais… Le diplodocus, tu le situes dans le trias ou le crétacé supérieur ?

– Je le situe entre tes deux oreilles, tête de veau !

Maman se lève. Elle a beau avoir répété son yoga dans sa tête, elle n'y tient plus, elle explose. Elle vient vers la table des enfants, prend une chaise et s'installe juste à côté de moi, me félicitant pour mon bonhomme Brossard, faisant l'impasse sur ses habitudes, elle qui déteste me voir jouer avec la nourriture. J'en profite et je lui trace des boutonnières à la confiture d'abricot. Elle parle avec Léa de l'entrée en quatrième, avec

Mathilde de son spectacle de claquettes, elle est gentille avec tout le monde, et je suis archi-fière qu'elle soit ma mère. Papa aimerait nous rejoindre, sauf que la présence de maman calme son élan. Elle ne le regarde pas, mais elle le regarde quand même. Je lui demande de me passer la confiture d'orange.

– Marmelade ! crie Carméla de l'autre table. Ce n'est pas de la confiture mais de la marmelade ! Un mot pour chaque chose et une chose sous chaque mot.

Papa quitte la pièce. Je me demande où il peut promener sa peine à part aux toilettes. L'espace se cantonne aux dortoirs, et papa a beau être triste, je ne pense pas qu'il aspire à y passer la journée. Je n'ose pas sortir de table. J'ai peur de Carméla. Maman me demande discrètement si je serais ennuyée de partir bientôt. Elle procède de même avec Igor et Aline qui jouent à la crapote avec Milo et Perdican.

– Pour une fois que tu as une bonne idée, lui répond Igor.

Maman ne prend pas ombrage de son impertinence. Elle a l'air soulagée. Elle quitte à son tour le salon, et ma main droite attrape ma main gauche. Je recompte mes doigts, il n'en manque pas. Mathilde me montre la photo de son copain. Je la regarde sans la voir. Je me demande ce que papa et maman se disent, si l'un va nous emmener et l'autre rester. Mais maman revient s'asseoir avec les grands. Elle a dû enfermer papa dans les toilettes. Je vais voir.

– Où tu vas, toi ? aboie Carméla, qui nous ressert du lait.

– Aux toilettes.

– À table ? T'as fini de manger ? C'est urgent ?

– Un peu.

– Alors vas-y. Mais fais vite.

Je me précipite. Je croise papa qui descend les sacs de voyage.

– On part, Nancy. Maman a envie de rentrer…

Déjà ? nous disent Carméla, oncle Viande, Amélie, Polux, Mathilde et Jean-Patrice. Peut-être que les autres sont contents que le départ soit amorcé.

– On avait prévu de rouler après le déjeuner, mais après le brunch, c'est bien aussi, explique maman.

– Mais enfin, il est dix heures ! s'exclame Carméla.

Maman lui sourit. Le sourire de maman est une réponse parfaite. La pluie redouble tandis que nous embarquons dans la voiture. Papa démarre et pousse un long soupir de soulagement. Hélas ! maman ne répond rien. À l'arrière, Igor imite oncle Viande déçu des saucisses à la poêle, Aline imite Cyril et Vanessa gloussant sans arrêt à cause de leur très grand amour. Je tente d'imiter Carméla, alors Igor explose de rire et Aline l'accompagne.

– Vas-y, mais fais vite ! répétons-nous en boucle.

Mais soudain maman crie :

– Taisez-vous derrière, un peu de calme. Fermez-la maintenant.

Et papa ne me défend pas.

11

Avec Marie, nous passons le samedi suivant en classe assises l'une à côté de l'autre à imaginer le plus silencieusement possible comment faire pour réaliser des photos de nous maquillées, sans toucher aux trousses de nos mères qui ne veulent jamais nous prêter leurs produits, même si on n'a pas encore d'acné. Je verrai avec Aline si elle peut nous aider. Chacune a en tête de se fabriquer un calendrier avec nos photos pour les offrir ensuite. À qui ? On ne sait pas encore… J'ai volé l'idée à Léa. Il fallait bien tirer un bénéfice de cette cousinade. Avec la recette de tuiles au parmesan de Jean-Patrice, j'ai gagné mon week-end.

Marie et moi jouons de moins en moins, et

parfois, même à contrecœur, nous nous empêchons de le faire, alors que nous n'aurions rien contre une balle aux prisonniers. Je me demande comment ce sera plus tard si jamais j'ai un copain. Je me demande si je devrai vivre sans jouer sous prétexte que j'aurai passé l'âge. On peut dire ce qu'on veut, un chat perché serait sans doute la distraction idéale pour mes parents actuellement.

À onze heures dix, ma tête commence à se tourner en direction de la cour. Je repère le crâne de mon papa et je frétille. Aussitôt après, je me dis que nous allons rentrer à la maison et je déchante. Ce samedi, quand la prof de maths nous dicte le travail du week-end et que, décollant mes fesses de ma chaise, je jette un œil par la fenêtre, je vois mon sac de voyage posé à ses pieds. Je le reconnais. Mickey sur une face, des carreaux blancs et noirs à chaque bout du polochon, et deux bandoulières tressées grises. Mon sang ne fait qu'un tour, mon moteur s'emballe. La fugue avec papa, c'est maintenant.

Je prends note des exercices et de la date du contrôle, et je vois ma vie défiler. Miss Forêt en saule pleureur. Aline espérant le retour de Gonçalo. Igor et la gifle. Suivent quelques souvenirs heureux, mon septième anniversaire, le Noël de mes huit ans, la promenade en bateau, les vacances à la neige, Lulu m'attendant à la porte de chez mes grands-parents, le camion du boucher, son klaxon à l'angle de leur rue, le gâteau aux pommes, le flan aux cerises, le clafoutis aux prunes, le marbré au chocolat. Je n'ai pas le temps de m'attarder sur le passé parce que la sonnerie retentit et que je me rue dehors, socquettes blanches aux pieds, sourire au museau. Je me jette vers papa, pleine du regard des autres. On m'envie, je le sais. Et quand ils apprendront tous, dès lundi, que nous avons fugué à jamais, ils seront sciés. Ils pensent connaître quelque chose à l'amour… Encore hier, Emilio a demandé à Tristan de proposer à Jeanne de sortir avec lui. J'ai participé au téléphone arabe par courtoisie. Mais moi, je sais au fond que l'amour ne se passe pas ainsi. Il commence par une main dans le dos.

D'ailleurs, papa pose la sienne sur mon épaule. Il ramasse mon sac qui semble peser deux tonnes. Papa n'a pas l'air très aérien non plus. Il embrasse Marie pour lui dire au revoir. J'ai un pincement au cœur à l'idée de la retrouver seulement dans très longtemps. Mais je suis happée par le grand départ. Dans la rue, on parcourt quelques mètres, je continue à faire comme si je n'avais pas vu le sac, et papa finit par me dire qu'on part en week-end. « À la mer », ajoute-t-il avec sa voix compliquée, sa voix sans ressort, un peu plate, qu'il maintient bien au sol, comme s'il avait peur de la faire décoller et qu'elle trahisse son angoisse ou ses larmes. Mon papa souffre, je le sais. Mais tout cela date d'hier, je vais m'occuper de lui maintenant. Nous partons par le train de onze heures cinquante et une, alors vite j'attrape la main qu'il me tend, et nous courons vers la gare. Je ne pose pas de questions, mer bleue, mer grise. Puisque nous partons en train, je me fais vite à l'idée que nous n'allons pas tremper dans de l'eau turquoise. Mais qu'importe ! Je suis prête à me baigner dans une eau à treize degrés si elle peut rendre sa fraîcheur à papa. Déjà, il va mieux. Courir lui donne des ailes. Les gens nous regardent passer. Je le vois. Je le sais. Ils me prennent pour sa femme. Nous venons de nous marier et nous courons comme des dératés vers le train de notre lune de miel. Je ris ! Je ris ! Le monde doit savoir que les acteurs de cinéma n'ont rien à nous envier. Et puis nous deux, nous sommes dans la réalité.

Nous montons dans le train, papa pose mon sac entre mes pieds, et je me demande ce qu'il a bien pu penser à emporter. Ma DS ? Mon journal intime ? La clef? Je n'ose pas regarder. Mickey me fait un clin d'œil, mais je reste concentrée. Je dois montrer à papa que je suis la plus heureuse des filles de la terre et que sa présence me suffit. Il doit penser que je suis aussi la plus idéale, celle qui ne pose pas de problème, ne demande rien et le suit toujours sans broncher. Celle avec qui il peut se sentir aussi léger et libre que seul. Avec maman, il s'applique tellement à rester parfait qu'il en devient lourd.

Je ne pose aucune question sur la goutte qui a fait déborder son vase, je lui raconte le cours de maths, enfin ce qu'il en reste une fois que j'en ai retiré les maths parce que, depuis qu'on a attaqué les fractions, je rêve d'une mathématique se transformant en physique : ainsi, de concrète et solide, elle pourrait devenir abstraite et vaporeuse. Ensuite, je lui confie les problèmes de Marie avec Jeff, le cinquième 2 qui ne la regarde pas. Mais j'ai tellement peur que les histoires d'amour le renvoient à maman que j'arrête dès que je le sens enquêter.

– Et toi, me demande-t-il, tu as un amoureux ?

– Moi ! Jamais !

Une fois rassuré, il part m'acheter un sandwich, un Coca, et je l'attends. Mon cœur se calme, mon petit moteur est endormi, je me sens capable de vivre ce qui m'arrive, sans mordre mes joues ni ronger mes mains. Je me penche et je tire sur la fermeture Éclair de mon sac de voyage. Il s'ouvre. Sur le dessus, et juste avant que papa revienne, je vois surgir le maillot de bain que je n'ai encore jamais porté, mon maillot de bain une pièce avec des pastèques et des ananas.

12

Je recense quelques différences avec des vacances normales. Certes, je suis au bord de la mer avec mon papa chéri. Certes, je m'apprête à avaler une crêpe. Deux crêpes parce que papa calme toujours mes velléités de régime en me commandant d'office, après ma galette complète œuf-jambon-fromage, une ardéchoise en dessert. Donc je suis en passe d'être comblée par les deux mets que j'aime le plus au monde (avec un autre mai, qui s'écrit différemment et qui est mon mois d'anniversaire), mais les yeux de papa ne sont pas normaux.

La vue de mon papa désespéré me remue les entrailles. Organe rassasié avec un grand trou au milieu : il s'agit de la définition de mon ventre.

Je garde mon petit moteur éteint puisque je ne ressens ni colère ni peur, mais juste une sorte d'émotion partagée.

Nous avons fugué. Nous nous retrouvons tous deux comme je l'ai rêvé, mais il y a ce creux, assis à table avec nous. Et papa a beau plaisanter avec le serveur, rien n'y fait. Le creux est creux. À un moment, papa prend ma main sur la table. Je suis comme une dingue parce que je me dis que les gens, hésitant jusque-là sur la nature de nos relations, vont croire que je suis sa femme. Alors je me sens grande et flattée. Mais aussitôt le creux me rappelle que tout va bien, peut-être, mais pas complètement.

En plus, papa évoque Igor. Il mettra sans doute un peu de temps à l'oublier, mais je trouve qu'il devrait commencer par cesser d'en parler. N'est-ce pas ce que maman me recommande quand je tourne le même souci en boucle dans mon cerveau au lieu de le mettre au vestiaire ?

Je me tais. J'écoute papa. Le portrait psychologique de mon frère pourrait m'amuser même si je n'ai pas la tête à plaisanter. Papa ne manque pas de mots. Il décrit le comportement d'Igor comme un spécialiste du zoo s'exprimant sur les orangs-outans. Il examine son espèce. Avec tendresse et peur. Je vois mon singe de frère se profiler dans la brume. En gros, papa craint qu'Igor ne devienne délinquant, et quand il m'en fait part, je sens que papa a encore plus peur qu'Igor ne soit pour moi un modèle. S'il savait.

– Je veux te dire, insiste papa, qu'Igor traverse l'âge bête. Il aurait pu l'éviter. Certains ados vivent cette période sereinement et continuent en grandissant d'obéir à leurs parents.

Il est mignon, ce papa, quand il sort son petit côté maman avec tout qui rentre dans une seule phrase, et l'illustration de son propos sur le cahier de travaux pratiques. Sur la page à dessin, je vois très clairement ma main droite et ma main gauche, les doigts emmêlés, tous amis, avec un cœur fluo autour. Papa me couve du regard. Il voudrait s'assurer que je le comprends, lui réponds, lui promets. Je dois le rassurer mais peut-être qu'il me plaît de laisser planer le mystère. Serai-je sympa quand j'aurai l'âge de ne plus l'être ? Peut-être… Oh, juste après, je souris ! Je ne veux pas l'apeurer. Déjà que le début de notre fugue a l'air de l'angoisser. Je prie chaque jour pour changer de frère. Alors Igor pour modèle, je rigole.

Papa essaie de faire comme s'il allait très bien. Il plaisante en faisant parler sa fourchette comme quand j'avais trois ans. Il feint de se noyer dans son verre en buvant, d'avoir le hoquet en chinois et de s'endormir. Mais il fait surtout semblant de rire et, malgré les efforts qu'il déploie, je ne vois que ça. Le pauvre se débrouille comme il peut avec notre fugue. Je voudrais le rassurer, les choses vont rentrer dans l'ordre petit à petit. Sous peu, nous repenserons aux autres membres de la famille avec beaucoup de plaisir et surtout pas mal de recul. Nous n'éprouverons plus de nostalgie. Mais je n'ose pas lui parler. Je n'ose pas lui expliquer qu'il a fait le bon choix. Et puis ce n'est plus le moment, il fait l'andouille avec sa crêpe, il la plaint d'avoir à finir dans son estomac.

Je lui souris, comme d'habitude, pour qu'il soit assuré que chacune de ses blagues est la meilleure du monde.

Dans la crêperie, il y a des parents accompagnés de leurs deux enfants. Évidemment, je ne peux pas comparer, nous sommes trois enfants, mais à leur table tout le monde sourit. Quelquefois, je voudrais passer chez Mme Blin, en coup de vent, en me bouchant le nez, et pas le samedi, juste pour lui dire que je suis triste quand des gens ont l'air heureux et que je ne me trouve pas parmi eux.

13

Il y a eu un moment sans creux lorsque je me suis jetée dans l'eau froide pour prouver à papa que je suis forte et surtout heureuse de me trouver avec lui, près du pôle Nord, au Touquet, à la mi-mars. Il ne doit surtout pas imaginer que je me sentirais mieux avec Marie, près de Toulon, au Gaou-Bénat, fin juillet. J'avais quand même envie d'étrenner mon maillot de bain une pièce avec des pastèques et des ananas acheté avec maman, le mois dernier, en vue de l'été prochain.

A-t-elle pressenti que papa et moi allions fuguer ? Je ne sais pas. En tout cas, maman a drôlement insisté pour me l'offrir. Elle a vu que je le trouvais assez joli, avec son fond blanc et ses bretelles jaunes. Elle m'a prévenue que si je ne me décidais pas il n'en resterait plus. Depuis, j'ai porté mon maillot de bain exclusivement dans la maison puisqu'il n'est censé me servir qu'en juillet, au Gaou-Bénat, avec Marie et ses parents qui m'ont invitée à passer une partie des grandes vacances chez eux.

En attendant de pouvoir me montrer sur les plages bordées de garrigue, avec mon chapeau de paille et mon short en jean que j'aurai à mon avis encore plus de mal à obtenir que mes tongs, – maman ne lâchant jamais sur l'idée du pied maintenu –, j'ai défilé avec mon maillot dans ma chambre, angoissée à l'idée de m'être emballée sur un modèle trop fillette et pas assez adolescente.

Le problème quand je fais les courses avec maman est son regard. Seule dans ma chambre, dépliant et repliant mon maillot une pièce, je me suis beaucoup demandé si les pastèques étaient si « marrantes » avec leurs pépins qui sourient, et pas plutôt un peu nulles. En plus, maman riant toujours aux blagues du docteur Croc, j'émets quelques réserves sur son humour. Il est fort probable que les poissons du sud de la France entrent en dépression en me voyant fendre l'eau.

Le creux dans mon ventre a disparu dans la mer. Tout est tellement gelé autour de moi que mon petit ventre pionce. Je ris aux éclats et je me sens bien. Comme quoi le masochisme survient tôt ! Le masochisme consiste à se faire du bien avec tout ce que l'on préfère mais dans l'autre sens. On peut manger une poignée de clous et adorer les picotis qu'ils provoquent sur les amygdales. J'ai appris cette notion grâce à Marie qui dit de Jeff qu'il est sûrement masochiste à se priver à ce point de la regarder.

Je m'ébroue dans une eau à quatorze degrés, a précisé papa, qui a toujours un thermomètre au bout de l'index, et mon maillot de bain me tient au frais. Une chose est sûre : ce n'est pas papa qui a eu l'idée de le glisser dans ma valise. Jamais il n'aurait eu le réflexe mer-maillot de bain ; d'ailleurs, il a oublié le sien. En plus, il ne sait pas que j'ai commencé à préparer mes petites affaires pour l'été prochain dans le ventre à fermeture Éclair de mon nounours bleu, alias « nounoubleu », afin d'être certaine de ne rien oublier. J'ai un côté mémère. Je suis du genre prévoyante. Mme Blin appelait cela une « attitude conjuratoire ». Et toi, que conjures-tu avec ton haleine ? avais-je envie de lui demander.

Je prépare ma valise à l'avance au cas où les mois se mettraient à défiler à toute allure. On n'est jamais trop prudent. Seule maman est au courant que le maillot habite déjà dans le ventre de mon nounours. Donc elle l'a sorti et l'a glissé dans mon sac de voyage. Elle et personne d'autre. Alors tout se complique. Si maman est au courant de la fugue, s'agit-il bien d'une fugue ?

Si j'avais droit à un coup de fil, j'appellerais Josse, l'amie de maman qui aime me répéter qu'on est copines. Au fond, nous ne le sommes pas, mais elle n'a pas eu de « bout » comme elle dit, et je lui conviens bien. Igor est moins son style, et Aline a dépassé la date de péremption. Moi, j'ai encore le sourire facile, la politesse à fleur de bouche. Je suis un bout sympathique. Au contraire, Aline file dans sa chambre dès qu'elle entend Josse arriver. Elle la trouve archinase. Maman n'apprécie pas qu'on se moque de son amie, alors je lui dis du bien d'elle et maman le lui répète. Donc on devient de plus en plus copines. Et puis je la respecte parce qu'elle connaît Michael Lonsdale. Ils se disent tu. À l'école, personne ne voit de qui il s'agit. Même Marie en ricane. « Eh bien, ils ne savent pas ce qu'ils ratent, tes copains ! » me dit Josse quand je me plains d'être la seule de ma génération à connaître cet acteur. J'essaie de lui extorquer un autre nom, mais ses connaissances people s'arrêtent là.

Josse saurait me dire si nous sommes en train de fuguer ou pas. Elle connaît toutes les crèmes pour combattre les valises sous les yeux, elle sait même fabriquer un After Eight : elle mange un carré de chocolat et embrasse juste après un homme qui vient de se laver les dents. Oh, la tronche de maman quand elle entend Josse me raconter ses secrets ! Si Josse sait tout cela, elle sait forcément si ma valise contient une fugue ou pas.

14

Je dois penser à raconter à Marie que notre chambre d'hôtel possède un petit balcon. Vue sur la mer, chabadabada, mon père m'a fait le grand jeu. Il m'attend dehors, raide contre la rambarde, pendant que je suis avachie sur le lit devant la télévision. Même si papa n'aime pas que je la regarde, momentanément je sens que ça l'arrange, alors je monte le son. Je n'ose pas changer de chaîne. J'ai peur de provoquer une catastrophe dans son téléphone. On ne sait jamais avec les ondes. Aussi, je reste sur le télé-achat et je me dis que la friteuse sans huile qu'on nettoie sans éponge serait un beau cadeau pour Maïté. Serge l'aide beaucoup depuis qu'il a été cocu, mais quand même. L'idée de nettoyer une casserole d'un coup d'eau lui plaira, j'en suis sûre. J'en parlerai à maman pour cet été. On peut même la commander et la faire livrer directement au Gaou-Bénat. Ainsi, j'éviterai de la prendre dans mon sac. Si je la porte moi-même, je n'aurai plus de place pour mes affaires. Et comme je ne désespère pas d'obtenir un chapeau de paille, mais que maman m'interdira d'une part de le garder dans le train pour ne pas attirer le regard, et d'autre part de le poser sur l'étagère à cause des poux des autres, il va falloir que je lui laisse de la place dans ma valise.

En plus, cette friteuse est garantie sans odeur, et on ne le dira jamais assez, l'odeur de la frite est déplaisante sur les vêtements. On peut la payer en trois fois sans frais. Sans frais ? Est-elle gratuite ? Elle est plutôt moderne avec ses poignées rouges. Vue du dessus, elle ressemble à une soucoupe volante. Je me demande si les Martiens mangent des frites. Avec une question pareille, je suis partie pour des heures de cogitation. Main droite demande à main gauche, et ma famille de dix doigts s'affaire sur le sujet. Les Martiens ne mangent pas de frites pour la bonne raison qu'il ne pousse pas de pommes de terre sur Mars. Ni de Belges. Mes mains tricotent. Mes yeux quittent l'écran pour regarder papa. Mon petit moteur ronchonne, sous peu il va ronronner. Papa se retourne pour regarder la mer, et je sais à qui il parle au téléphone. Vite, vite, je me concentre sur la friteuse. Mon majeur conseille à mon auriculaire de découper mon cerveau en frites afin de ne plus être capable d'alimenter mon moteur. Oui, oui, tout cela est très compliqué. Sans doute beaucoup moins que ce qui se dit dans le téléphone, vu la tête de papa

À tous les coups maman va encore nous gâcher la soirée. Nous sommes au bord de la mer, je me suis préparée pour sortir dîner. J'attends papa en regardant la télé et en dessinant une horreur noire et marron dans la case du jour destinée au docteur Croc. Et maman lui casse les paluches au téléphone. Josse a raison. Les femmes veulent toutes un mari avant de s'en plaindre. De grâce ! J'aime mieux rester vieille fille.

Papa raccroche. Il reste un moment dehors pour me faire croire qu'il est sorti prendre l'air. Son téléphone a regagné sa poche, mais il le vérifie de temps en temps, sans doute dans l'espoir d'un petit texto. Maman le fait vraiment tourner en bourrique. Il finit par rentrer dans la chambre en faisant semblant de trébucher sur la marche de la porte-fenêtre. Et je fais, comme toujours, semblant de rire quand il fait semblant d'être drôle. Il s'assoit sur le lit, et le téléachat en est encore à la friteuse sans gras, sans éponge, sans odeur et bientôt sans frites. D'une voix joviale et lourde à la fois, dont seul mon papa a le secret, il me dit :

– Mets ton pull, Nancy. On sort manger des frites.

Le creux dans mon ventre est revenu, et ce ne sont pas les frites qui le combleront. Le chemin entre l'hôtel et le restaurant est une descente dans un grand trou. Papa ne parle pas. Je peux tenter de me lancer dans une conversation explicative, mais je suis trop coincée. J'ai rêvé à ce grand départ avec papa, et maintenant qu'il a eu lieu, je trouve encore que quelque chose va de travers. Et puis je ne vois pas pourquoi papa téléphone à maman. Si on a fugué et qu'on reste logique, on ne donne pas de nouvelles. J'ai donc la preuve que nous sommes encore attachés aux membres de notre famille, et pire, je me rends compte que cette tradition m'arrange.

Mon petit moteur gronde sans grande énergie. Par simple tradition. Quand papa fait l'andouille devant la carte du restaurant, j'ai envie de m'énerver, mais je me retiens. Je lui dirais volontiers que j'ai passé l'âge. Qu'il se garde ses blagues nulles puisqu'il n'est pas capable de fuguer pour toujours. Juste après ma vilaine pensée, je le regarde. Je le trouve beau, même avec les yeux qui brillent. Alors j'attrape sa main sur la table. Le restaurant est vide et personne ne nous regarde, mais je la saisis quand même. Je le fais pour moi, pour le plaisir d'être gentille avec lui.

– J'aime bien fuguer avec toi, lui dis-je.

Papa éclate de rire.

– Je n'avais pas vu cela ainsi.

Au moins, je suis fixée. J'essaie encore.

– As-tu envie, quelquefois, de ne pas rentrer à la maison ?

– Bien sûr que non, me répond-il. Il y a des disputes, mais je l'ai fabriquée, cette maison, et il y fait meilleur que n'importe où ailleurs.

– Sympa pour moi !

Papa rit à nouveau. Je déteste quand il rit en réponse à mes grands trous. Ma main droite rejoint ma main gauche, et ma famille de dix doigts se ligue contre lui d'un seul coup. Puisqu'il ne veut pas me parler franchement, je pars au Gaou-Bénat au volant de mon petit avion. Je survole les collines, les plages, j'atterris dans la mer et je pousse un cri. J'ai oublié de retirer mon short en jean, et une gamba vient de me voler ma tong.

Papa lit dans mes regards flous et comprend que je suis sérieusement absente. Il navigue en Zodiac sur les eaux turquoise du Gaou-Bénat, il me jette une corde pour me ramener vers lui et me dit :

– Avec maman, nous avons pensé qu'il serait bon pour toi de passer un week-end cool, en dehors de la maison. Les grands sont assommants en ce moment. Et ta mère a eu cette bonne idée !

Ben, voyons. Je la sais, la vérité, moi. Elle est à Venise avec Croc pendant que papa me mime la frite. Il s'est fait avoir. Point final. Maman a mis sa robe bleu pâle, Croc lui passe la main dans le dos. À force, elle développe une plaque rouge. Elle croit à un coup de soleil, et il lui étale de la crème, berk-berk-berk. Il a sûrement une astuce à base de dentifrice contre les coups de soleil. Avec ses yeux de spatule, elle l'écoute lui expliquer l'incidence du fluor sur les rayons UV. Le tout sur une gondole conduite par un gars dont maman trouve le chapeau très à son goût. Comme par hasard. Je suis dégoûtée. Je refuse le dessert que papa m'a commandé. Mais en voyant sa tête de non-gondolier, j'ai pitié et j'avale.

Quand nous remontons dans la chambre après une courte promenade dans les étoiles cachées par les nuages, papa retourne sur la terrasse. Je me mets en pyjama et me couche sans télé. Avec mon oreille droite, j'essaie d'entendre ce qu'il dit au téléphone, mais de l'oreille gauche je fais en sorte de rester sourde, partagée entre l'envie de comprendre ce qu'ils se racontent et le désir de dormir pour ne surtout rien savoir.

À un moment, notre voisin de chambre sort sur son balcon pour dire à mon père de téléphoner ailleurs. Il se plaint de sa voix qui résonne. Je lui dirais volontiers d'aller se faire voir, mais papa lui adresse un sympathique signe de la main. Je me verrais bien défendre mon père, je me contente de ne plus l'entendre du tout à présent que le voisin lui a demandé de la boucler. Il chuchote. Pas de pot. Dans la pénombre, je vois ses lèvres bouger encore un moment, puis son téléphone regagne sa poche, et il reste debout, de dos, face à la mer. Je ferme les yeux pour qu'il ne sache jamais que j'ai partagé son désarroi.

À présent, papa dort. Moi, je veille. J'ai trop de questions dans ma tête. Et je ne m'explique pas ce trou. Ce trou dans mon ventre.

15

Pendant la nuit, j'ai admis que j'avais fait erreur sur la fugue. Papa et moi n'avons pas fugué. Nous sommes partis en week-end pour obéir à la volonté de maman qui n'est pas avec nous, mais nous accompagne quand même pas à pas, jetant un voile noir sur chacun de nos instants, depuis Venise où elle mange des pâtes avec une plaque dans le dos.

Il pleut à verse, et nous ne pouvons pas quitter la chambre. Je l'arpente de long en large dans mon maillot une pièce avec des pastèques et des ananas, dans l'espoir d'un rayon de soleil qui me permettrait de me jeter à l'eau. J'aimerais que mon maillot ait l'air un peu moins neuf pour le Gaou-Bénat. Et l'eau à treize degrés pourrait agir sur la décoloration de quelques pastèques. Elles se révèlent plus voyantes que je ne l'aurais cru. Une décoloration me permettra de mentir sur la date d'achat. On me pardonnera plus aisément d'avoir flashé sur du fluo s'il s'agit d'un vieux fluo. Un fluo qui date du primaire me sera pardonné. Mais un fluo coup de cœur de sixième me sera retoqué. Marie risque d'avoir un maillot une pièce noir. Il en a déjà été question. Elle passerait dans ce cas directement du bikini fleuri du primaire au une pièce noir de sixième, et j'aurais l'air à côté de la plaque avec mes pastèques et mes ananas.

En même temps, qui me dit que maman ne va pas me rapporter de Venise un sac en cuir comme j'en rêve pour remplacer mon sac en toile ? Bientôt, j'aurai un sac à porter sur l'épaule. Je dirai au revoir à mon gros sac à dos. J'ai écrit dessus l'année dernière. J'avais demandé la permission à maman, qui me l'a donnée parce que mon sac avait déjà trois ans et qu'elle avait remarqué que mes copines avaient toutes griffonné le leur. Elle a senti que si elle refusait Mme Blin la mettrait devant ses responsabilités. J'ai donc pu m'exprimer comme le font les autres. Mais j'ai dessiné des tags dont je ne connais même pas le sens, alors que j'avais encore envie de dessiner des Snoopy. Depuis que mon sac à dos a de l'avance sur moi, je ne le porte plus sur mon dos avec le sentiment qu'une petite carapace me protège. J'ai plutôt le sentiment qu'elle me trahit. Maman m'a promis un sac de vraie jeune fille comme elle dit, mais cela m'effraie. J'ai peur qu'elle ne choisisse elle-même le modèle, un rectangle classique qui me durera une vie, d'une couleur flashy parce que je suis jeune, et ce sera l'horreur parce que je le porterai jusqu'à ma majorité par obéissance ou délicatesse (je ne fais pas encore bien la différence) et je le détesterai au premier regard. Peut-être que je l'aimerai un jour, beaucoup plus tard, dans ma vieillesse, quand je le retrouverai au fond d'un placard et que je me souviendrai que ma mère s'était ruinée pour me l'offrir. Alors je le sortirai quand je serai grand-mère, et mes petits-enfants rigoleront encore devant sa couleur flashy. Mais moi, je sourirai au ciel parce que je saurai que ma petite maman est cachée dedans.

La pluie me rend nostalgique. Papa m'a obligée à mettre des chaussettes, et je lui assure que je n'ai pas froid en maillot de bain, malgré la chair de poule qui gagne mes bras. Il gigote autour de son téléphone, espérant une petite vibration, mais rien. Son téléphone reste inerte. Si la pluie nous accordait un répit, je suis certaine qu'il sortirait sur le balcon s'humilier un petit coup en rappelant maman. Maman, en plein soleil, qui fait la planche sur un canal vénitien. Et dont le portable est dans son sac à main qui n'est pas ringard, lui. Mais qui l'attend sur la gondole, sous les UV. D'ailleurs, son cuir se décolore un peu. Le résultat est très joli. Que fait Croc pendant ce temps ? De l'apnée. Sous l'eau. Je ne le vois pas. Avec un peu de bol, il ne remontera jamais à la surface.

Avec papa, nous descendons prendre notre petit déjeuner. Je suis contrainte d'enfiler des vêtements, mais je garde mon maillot de bain dessous afin d'être prête si le soleil se déclare. Papa prend un quatrième café alors que j'entame mon troisième pain aux raisins. Mon bon appétit le ravit. Évidemment, il n'est pas gâté à la maison. Entre maman qui fait des régimes en vue du mercredi, Aline qui ne bouffe plus que du chocolat depuis qu'elle a abusé de la brandade de morue, et Igor qui a une nette préférence pour ses ongles, on ne peut pas dire que l'art de la table soit mis en avant chez nous. Rien ne me dit que je ne vais pas m'enfiler une quatrième viennoiserie, juste pour faire plaisir à papa. Et tant pis si je déplais ensuite à mon maillot.

De deux choses l'une. Ou maman quitte Croc et papa la pardonne, ou Venise coule et engloutit Croc. Je n'ose pas poser de questions sur notre heure de retour, mais nous sommes dimanche, et il se pourrait bien que demain nous soyons lundi. Les pains aux raisins me rendent décidément très perspicace... Cependant, si je lui demande l'heure du train, papa va aussitôt penser que je ne suis pas bien ici, seule avec lui, et je veux vraiment qu'il n'ait aucun doute sur mon plaisir à partager ce week-end en tête à tête. J'y tiens. S'il apprenait que mon petit moteur ronchonne, que ma tête joue des castagnettes et que ma famille de dix doigts développe des théories pour se calmer, il en serait malade. Et s'il savait qu'il m'énerve chaque fois qu'il triture son portable, à mon tour j'en serais malade. J'ai beaucoup de mal à éprouver de l'agacement envers lui, mais s'il s'en apercevait, pour le coup j'en mourrais.

Après le petit déjeuner, nous traînons un moment dans le hall de l'hôtel, et je regarde les dépliants publicitaires pendant que papa, cramponné à son téléphone, fait mine de s'intéresser à la carte géographique de la région. J'espère qu'il n'est pas en train de nous organiser une randonnée. Avant de remonter dans la chambre, je lui demande la permission de prendre plusieurs dépliants et, juste après, je regrette de les avoir emportés. Moi qui suis censée arrêter de jouer depuis que je suis en sixième, je viens d'avoir le mauvais réflexe de vouloir jouer à l'agence immobilière. Mon petit moteur commence alors à ronchonner. Et on est là, dans la chambre, avec papa qui insiste pour que je lui récite une huitième fois la poésie à apprendre pour mardi. Au cas où je n'aurais pas compris que j'allais retourner à l'école…

À la télévision, il y a toujours le téléachat avec la friteuse sans odeur. Je demande à papa si je pourrais l'offrir à Maïté en juillet. Il veut savoir si je suis contente de partir au Gaou. Je m'apprête à répondre oui, mais je réponds non. Il me dit que la friteuse, c'est un peu nul comme cadeau pour une femme qui fait des régimes.

– Mais elle est sans huile !

On est heureux, en week-end tous les deux, et je prends mon ton d'adolescente attardée. En même temps, papa m'énerve parce que, là encore, il me sourit. Finalement, rien ne va. Quoi que papa dise ou fasse, je suis fâchée contre maman et ses gondoles. Je pense au Gaou-Bénat, mais je n'ose pas le dire. J'ai envie de jouer, mais je suis trop vieille. Il pleut, et mon maillot une pièce avec des pastèques et des ananas va rester fluo.

– Et si on allait à la piscine ? me propose papa.

Il est génial, mon papa. Je veux absolument mettre la tête sous l'eau au Gaou. Marie sait nager de mille façons, enfin trois. Sur le ventre, sur le dos et sous l'eau. Moi, depuis onze ans, j'ai peur d'immerger ma tête. Donc je n'essaie pas. Donc je n'y arrive pas. Papa connaît mon petit blocage avec la baignade et il ne me force jamais. Mme Blin avait comparé ma peur de l'eau au ventre de ma mère quand elle m'attendait. Comme nous avions ri avec Aline et Igor ! Surtout de la tête de maman qui avait raconté cette histoire au dîner, avec maintes précautions, sentant qu'elle touchait à un sujet grave, mais dépassée par une sorte de fou rire communiqué par Igor qui imite super bien Mme Blin sans l'avoir jamais vue. On était heureux parfois, tous les cinq. Mais je suis quand même mieux seule avec papa, à courir sous la pluie pour me mettre à l'abri dans la piscine municipale.

Ce soir, grâce à papa, je saurai nager le crawl.

16

Papa demande s'il y a quelqu'un, mais nul sinon l'écho ne répond à sa voix, comme dit toujours ma mère. Nous rentrons chez nous. Dimanche, dix-huit heures, la maison est vide. Étrange. Normalement, on s'affaire. Maman range, Igor rôde, et Aline se chamaille avec elle-même en boulottant des Choco BN si elle ne trouve personne à qui confier son mépris pour le Portugal. Mais ce soir, rien.

Aussitôt j'imagine maman, la bouche ouverte, sur le fauteuil pour vieilles du docteur Croc et je voudrais que papa cesse de tout lui passer. Supporter de la regarder quand elle fait la spatule n'est déjà pas très normal. Un homme sain d'esprit lui dirait de se calmer avec ses postures.

Il éclaterait de rire ou de colère quand, face à la fenêtre, elle lève le derrière vers le plafond sans égard pour le voisin d'en face qui la lorgne à travers ses stores vénitiens. Je vais dire la vérité à papa. Il ira la chercher au cabinet de Croc et la ramènera jusqu'ici par la peau des gencives. Quant à Igor, il fait le mur, mais maman ne s'en rend pas compte puisqu'elle est absente. Aline, elle, a peut-être trouvé refuge auprès d'un Espagnol qui lui apprend l'hymne de son pays et, comme d'habitude, elle croit qu'il lui chante une chanson d'amour.

– On aurait dû rester à la mer, dis-je à papa.

Il sourit et m'envoie ranger mes affaires. Il n'attend même pas que j'aie le dos tourné pour fouiller dans sa poche à la recherche de son téléphone. Quand je pense que mes parents refusent de m'offrir un portable parce qu'ils pensent que je ne serai pas raisonnable et passerai mon temps dessus, je rigole. J'entre dans la chambre d'Aline, et je reconnais le bazar tranquille habituel. Chez Igor, je perçois l'odeur de fauve. Il a dû sortir après maman parce qu'elle ouvre sa fenêtre dès qu'il a le dos tourné. Aujourd'hui, il me semble que personne n'a aéré. Maman m'a expliqué que les jeunes garçons appréciaient beaucoup de rester dans leur jus, et Mme Blin, à qui elle a demandé conseil, lui a recommandé de limiter les réflexions désobligeantes. Aussi, nous supportons tous en silence l'odeur d'Igor, mais nous rusons pour nous en débarrasser dès qu'il s'éloigne. Avec maman, nous avons même fabriqué des petits pochons de lavande que nous avons planqués au fond de ses placards.

J'entre dans la chambre de papa et maman. Le lit est fait au carré. Le marque-page du livre que maman est en train de lire est toujours page 126, exactement comme jeudi dernier. Évidemment. À Venise, elle n'a pas emporté sa lecture. Miss Forêt avait mieux à faire.

Papa entre dans ma chambre et range les affaires de mon sac de voyage, chose qu'il n'entreprend jamais quand maman et lui s'entendent bien. Il me fait de la peine à se donner tant de mal. En plus, je sais que maman va tout refaire derrière lui en soupirant parce qu'il pose mon maillot humide sur ma chaise en bois et mon linge sale par terre, dans un coin de ma chambre, au lieu de le jeter dans le panier de la salle de bains. En le ramassant, maman va sûrement bougonner quelque chose, mais trop bas pour qu'il entende. Maman est reine pour se disputer dans son coin.

Elle nous a transmis cette drôle d'habitude de ne jamais dire en face à la personne concernée ce que nous ressentons. Nous nous disputons de façon circulaire. « Nous faisons la ronde », avais-je expliqué à Mme Blin, qui avait eu l'air intéressée par l'idée. Nous ne sommes pas des gens simples. Nous ne sommes pas tordus pour autant. Nous avons notre petit mode de fonctionnement. Je les attends, ceux qui voudraient dire du mal de nous, avec mon petit moteur et ma famille de doigts.

Igor, Aline et maman rentrent en même temps. Ils étaient au cinéma. Ensemble ? Oui, tout le monde est réconcilié. Aline se jette dans mes bras. A-t-elle cru à une fugue ? Juste après, elle recule. On dirait qu'elle regrette d'avoir été sympa. Maman m'embrasse fort, très fort ; elle me demande si la mer était belle pendant qu'Igor me tape dans le dos. J'ai mon œil qui traîne sur le côté, ainsi que l'oreille qui l'accompagne. Je veux voir si notre nuit d'absence a comblé le vide entre papa et maman. Il s'approche pour l'embrasser, mais il reçoit un hochement de menton. Ah ! à Venise, miss Forêt était moins farouche !

Chez moi, les gens sont étranges. Sauf qu'à vingt heures, comme ailleurs, tout le monde est rentré et s'apprête à dîner.

17

Ce matin, j'ai appris grâce à Marie que maman n'était pas partie à Venise puisqu'elle a dîné avec Maïté.

Marie a écouté à la porte et entendu sa mère et la mienne dire du mal des hommes en général. Dans les hommes en général, il y avait Jean-Marc. Jean-Marc était allé « au sport » comme il dit, sûrement pour énerver Maïté qui déteste ce raccourci. Il s'est donc fait traiter de « ploucos ». Les parents de Marie font bien attention à ne plus se quitter. Comme dit Maïté, quelquefois, cela nécessite encore un gros effort. Avec maman, Maïté s'est remémoré l'époque où Jean-Marc ne levait plus ses fesses du canapé et les yeux de son écran de télé, et n'ouvrait la bouche que pour mastiquer ou fumer, se bornant à traîner en chaussettes. Leur conversation a ensuite dévié sur le thème des jupes longues, asymétriques ou pas, et Marie me jure que papa, lui, n'en a pas pris pour son grade. Maman n'a rien dit de désobligeant. Comme Marie vient de m'avouer qu'on avait critiqué son père, je ne peux pas m'empêcher de confier à Marie mes doutes à propos de maman et du docteur Croc.

– Un amant ? hurle Marie.

Je l'adore, mais sa voix dépasse toujours les secrets. Je lui fais signe de baisser d'un ton. Elle me jure de m'aider et surtout de trouver un moyen pour mettre un terme à cette idylle. La voir si résolue me rend moins sûre de moi. Maman sort-elle vraiment avec le docteur Croc ? Je réglerai cela mercredi prochain. Pour en être certaine, Marie m'a donné une astuce. Je dois fixer Croc, puis maman, chacun durant de longues secondes, et voir s'ils se regardent l'un l'autre en rougissant.

À midi, je déjeune chez Marie. Nous n'avons plus que cinq mois pour préparer nos vacances au Gaou et, mine de rien, c'est peu. Chaque lundi, nous vidons, puis remplissons le sac de Marie, et quand elle vient chez moi, nous procédons de la même façon. Selon Marie, nous avons toutes les probabilités de tomber amoureuses durant l'été. Elle compte oublier Jeff à qui elle donne jusqu'à fin avril pour la repérer. Et moi, je n'ose pas lui avouer que je préfère mon papa à toute perspective d'amour. Je joue le jeu et me rêve moi aussi amoureuse, d'un brun avec des petites oreilles si possible. J'ai voulu être originale. Marie me parlait d'yeux bleus, et j'ai pris l'air très concerné pour lui dire que, de mon côté, je m'intéressais aux oreilles. Avec mon ton convaincu, je ne lui ai pas laissé l'occasion de se moquer de moi. Si je suis honnête, je commence à penser que peut-être, sous peu, mais pas maintenant, je jetterai un œil alentour pour voir si je trouve un garçon à mon goût. Actuellement, avec miss Forêt qui se comporte comme une fleur des champs et papa qu'elle a rendu maniaque du portable, je ne peux vraiment pas me disperser.

Qui dit tomber amoureuse dit avoir ce qu'il faut sous la main pour se faire remarquer. Nous nous fabriquons donc des gloss avec un jeu que Marie a reçu à Noël. Parfumés à la lavande, au Coca et à la pêche, ils ne colorent hélas ! quasiment pas nos lèvres. Au moins nos mères ne nous empêchent pas de les porter. Dans les pots, les couleurs sont intenses. Par ailleurs, nous prévoyons des trousses de plage. Nous avons récupéré des vaporisateurs et nous les remplirons d'eau du robinet. L'an passé, nous avions vu des femmes se brumiser et nous avions trouvé le geste assez cool. Malheureusement, nos vieux vapos sentent le parfum de nos mères, et nous n'aurons pas trop de vingt lundis pour les débarrasser de leur odeur. Marie pense récupérer un chapeau de paille pour moi quand elle ira chez sa grand-mère à Pâques. Mémé Claudie a une grande cave. Je pourrai ainsi lâcher maman avec le chapeau et lui demander plutôt un éventail qui nous servira à toutes les deux. Nous avons cherché comment en fabriquer nous-mêmes et avons trouvé un site spécialisé dans ce domaine, mais le résultat est catastrophique. Nous ne savons pas si le carton est trop raide, ou nos fleurs trop moches, mais nos éventails ressemblent à des travaux manuels de CP. Alors qu'Evy Straight, notre chanteuse idole, manie l'éventail avec grâce, nous, quand nous l'imitons, ressemblons à des épouvantails. Encore une fois, Marie compte sur la cave de sa grand-mère pour combler notre manque, mais si c'est pour obtenir un vieux machin, comme l'an passé où nous voulions des jumelles et où nous nous sommes retrouvées avec un face-à-main, franchement, mieux vaut se passer d'éventail. Nous réfléchissons à l'idée de nous éventer avec un journal. Et nous espérons aussi récupérer un téléphone portable cassé et faire semblant d'envoyer des SMS. Celui de papa est tellement sollicité qu'il va bientôt rendre l'âme.

J'aurais mieux fait de me taire et de garder pour moi mes considérations sur le portable de papa, car Marie développe aussitôt une théorie.

Selon elle, papa a une maîtresse, et cela ne fait aucun doute. Alors je veux bien tout entendre, mais ça, jamais.

– Fouille dedans, m'assure-t-elle, et ne t'étonne pas d'y lire des mots doux qui ne viennent pas de ta mère.

18

Les propos de Marie m'ont contrariée. J'ai passé l'après-midi à faire gronder mon petit moteur, puis je suis rentrée à la maison en mode turbo. Je suis assez ennuyée avec l'ambiance de chez moi pour ne pas avoir en plus à imaginer que papa est tombé amoureux de quelqu'un. Docteur Croc d'un côté. Mme Molaire de l'autre. Et puis quoi encore ? Pourtant je dois en avoir le cœur net. Mais vérifier dans son téléphone est impossible. On ne fouille pas dans les affaires du voisin, surtout quand le voisin est son père. Si je pose la question à maman, je ne suis pas certaine qu'elle me réponde. Il me reste Aline. J'entre dans sa chambre, et elle me demande de ressortir et de frapper avant d'entrer. Je m'exécute. Je lui dirais bien tout le mal que je pense d'elle et de ses nouvelles dreadlocks, mais je me contente d'obéir. Quand elle me voit entrer pour la seconde fois, elle me sourit parce qu'elle s'en veut de m'avoir fait ressortir. Bien que ses devoirs et ses livres ouverts soient étalés sur son bureau, elle est allongée sur son lit

– Tu fais la spatule ?

– Non, je médite.

– Sur le Portugal ?

– Non, sur Pascal. Je le trouve de plus en plus ennuyeux.

– T'en fais pas.

– Au téléphone, il ne dit rien. Et quand on se voit, il ne dit pas grand-chose non plus.

– T'en fais pas.

– Je crois que je vais rompre. En plus, il paraît que José est amoureux de moi.

– T'en fais pas.

– Mais tu vas arrêter avec tes «T'en fais pas» ? Tu n'as pas autre chose dans le crâne, non ?

Aline me bloque. Je suis toujours obligée de

me dire qu'elle va mourir un jour pour la supporter. Elle a si peu de douceur.

Sa réflexion me rend muette. Un piteux «T'en fais pas» rôde encore sur le bout de ma langue. Au lieu de l'interroger sur l'existence de la copine de papa, je me mets à lui poser des questions sur la bêtise de Pascal.

– Mais il est con comment, Pascal ?

– Tout le temps.

– Et plus con ou moins con que Gonçalo ?

Je peux jurer sur la tête de miss Forêt que je n'ai pas voulu commettre d'impair. Pourtant, à l'instant où je pose cette question fatidique, les yeux d'Aline rougissent, elle pointe son doigt vers moi et me hurle de sortir de sa chambre.

– Je ne voulais pas, dis-je. Je ne voulais pas te blesser !

– Un con, Gonçalo ? Il avait gagné le record du nombre de tee-shirts enfilés les uns sur les autres à la fête du Cercle des arts ! Mais tu ne sais pas que je l'aime encore ? Tu ne comprends rien ! T'es vraiment pas possible, Nancy ! Dégage !

Si, je suis possible. J'existe. J'arpente le couloir

à la façon d'Igor, mi-furet des îles, mi-ours mal léché, et maman me récupère à l'autre bout.

– D'où vient ta petite mine dépitée ? me demande-t-elle.

Je manque de mots pour lui répondre. Si je cafte, Aline va me retomber dessus un peu plus tard, dès que maman l'aura réprimandée. Du coup, je me jette dans ses bras et je pleure dedans. Je noie mon petit moteur.

– Tu t'es disputée avec Marie ? m'interroge maman.

Je suis coincée pour répondre. Mme Blin dit que je dois essayer de libérer les émotions désagréables lorsqu'elles m'envahissent. Mais si j'explique à maman que je n'ai pas eu le temps de demander à Aline si papa a une maîtresse parce qu'en croyant plaisanter j'ai dit du mal de Gonçalo et qu'elle l'aime encore, ça va faire trop de mauvaises nouvelles à la fois pour maman. Même si elle est sûrement ravie d'apprendre qu'avec Pascal il y a de l'eau dans le gaz. Alors, piteusement, j'acquiesce. Oui, je me suis disputée avec Marie et je précise la raison.

– Je n'ai pas de chapeau de paille pour le Gaou. Elle en a deux. Mais elle veut me donner le vieux de sa grand-mère.

– De toute façon un chapeau ne se prête pas. Chacun ses poux. Et en plus, Marie sent des cheveux.

Évidemment. Maman trouve toujours la solution aux problèmes. Et si possible en sortant de son chapeau un nouveau motif. Marie ? Je m'insurge.

– Elle est propre comme un sou neuf !

Maman éclate de rire. Elle n'est pas habituée à ce que j'emploie des expressions désuètes.

– En surface, certainement. Mais pas dans les coins. Elle sent de la tête. Elle se lave les cheveux quand elle a le temps.

Le pire est que maman ne me propose même pas de m'acheter un chapeau. Elle se contente de dire du mal de Marie, elle remédie au problème en le déplaçant. Je n'ai plus envie du chapeau de la grand-mère, ni d'aucun autre d'ailleurs. J'aimerais mieux ne plus avoir de tête. Aline m'a expulsée de sa chambre. À cause de papa qui a une maîtresse. À cause de maman qui a un amant. Je suis rejetée !

Il me reste Igor, mais je ne passerai pas par lui de gaieté de cœur. J'aimerais mieux sauter par la fenêtre. Il va alors incomber à papa la lourde tâche de me rassurer. Tant pis. Je vais lui demander de me parler de sa dame Molaire. Il le fera. Il ne me mentira pas. Il me regardera dans les yeux et me dira la vérité sur cette femme installée dans son portable. Oh ! là, là ! une femme vit là, avec nous, dans la poche de papa, et je suis la seule à m'en rendre compte. Maman ne voit rien, évidemment, elle pense à Croc.

Et demain, pour couronner le tout, on est mercredi.

19

Je suis verte. Et la couleur est mal choisie. Au fond, je suis arc-en-ciel. En surface, idem. Je passe du rose au blanc, je tire même sur l'indigo. J'apprends que Maïté voulait nous emmener à la piscine mercredi, Marie et moi, mais maman a refusé à cause du docteur Croc.

– Elle a dit à ma mère qu'elle souhaite en finir avec tes histoires d'appareil, m'explique Marie au téléphone.

– Pourquoi le mercredi ?

– Et surtout pourquoi en plein milieu de l'après-midi ? insiste Marie.

Marie pose toujours les bonnes questions. À force d'être intelligente, elle transpire des cheveux, C.Q.F.D. Je suis dégoûtée. Si je râle contre mon emploi du temps, maman va certainement me gronder. Si je ne râle pas, je risque de passer tous les mercredis de l'année avec elle et son Croc. Elle me prend pour alibi pour voir son amant, m'explique Marie.

– Tu comprends, si tu as rendez-vous à neuf heures du matin, elle n'a pas le temps de se pomponner. Alors que là, elle a toute la matinée pour se préparer, tout le déjeuner pour y penser, et zou, elle t'emmène à l'heure du goûter. Et au passage, elle te gâche ta journée !

Si je nageais correctement, je serais moins énervée. Mais d'ici le Gaou-Bénat, et même si papa m'a appris à respirer sous l'eau, je dois m'entraîner. J'imagine la scène. Marie plongera devant les garçons, elle fera sa sirène parfaite, et moi, je jouerai le mollusque des sables, je prendrai des poses en attendant qu'elle termine son spectacle de natation synchronisée et j'attraperai des coups de soleil qui me vaudront de rester entièrement à l'ombre jusqu'à la fin du séjour.

Je m'entraîne dans mon bain à mettre la tête sous l'eau, mais dès que je suis en situation dans un grand bassin je panique et j'inspire un grand coup alors que ma tête est immergée. Je me prédis la noyade assurée avec mouchage consécutif et tête de saule pleureur. Si je m'y prends ainsi devant les garçons, autant dire que je vais rester amoureuse de mon père pour le restant de mes jours.

Je décide donc de confier à maman mes envies de piscine. Plutôt que de me fâcher contre le dentiste, je choisis de m'enthousiasmer pour la natation. Maman a l'air de comprendre ce que je dis. En ce moment, elle a plutôt tendance à fermer les écoutilles pour pratiquer la technique de la spatule sourde. Elle s'entend bien avec Aline, correctement avec Igor, extrêmement mal avec papa, mais elle s'entend surtout à merveille avec son tapis de yoga. Elle l'embrasse dès qu'elle a dix minutes. Je me demande s'il ne lui sert pas aussi de tapis de prière. Dans ce cas, je parierais qu'elle s'adresse au Seigneur des amants, à qui elle réclame l'amour fou pour l'éternité.

– Je voudrais vraiment aller demain après-midi à la piscine avec Maïté et Marie. J'en ai assez de nager comme un fer à repasser. Je n'ai pas envie d'avoir l'air débile au Gaou-Bénat.

S'il y a quelque chose que maman prend toujours très au sérieux, ce sont mes complexes. Mme Blin lui a appris à ne rien laisser de côté concernant mes petits blocages. Si ma timidité a été dépassée, il n'en demeure pas moins que je reste un petit être sensible.

– Veux-tu que je t'inscrive à des cours de natation ? me propose maman. Tu refusais, souviens-toi, tu avais peur des maîtres-nageurs. Mais tu apprendrais bien plus rapidement avec un moniteur. Maïté est gentille, mais elle n'est certainement pas la plus à même de t'apprendre à nager. Et puis j'aimerais qu'on en finisse avec ces histoires de dents…

– Moi de même…

– Pardon ?

Je sens ma colère qui monte sous mon moteur turbo.

– Pourquoi tu choisis pile le milieu de l'après-midi pour aller chez Croc ?

– Docteur Croc. Pour qu'on prenne notre temps. Je ne travaille pas le mercredi, je reste avec toi, on traîne, c'est bon de traîner, non ? Si je t'emmène chez l'orthodontiste à neuf heures du matin, tu ne vas pas être d'accord, si ?

Entre neuf heures du matin et quinze heures trente, il y a une marge. Par ailleurs, je veux bien être conciliante, mais j'exige la vérité. Dans l'ordre, je refuse les cours de natation avec un type qui va me parler tout doucement devant maman et me faire peur dès qu'elle aura quitté le bassin, à me tendre sa perche bien après que j'ai coulé. Je veux nager avec Maïté et Marie. Et j'accepte le dentiste à neuf heures du matin, exprès pour ennuyer maman qui portera ses yeux tout bouffis de la nuit sur Croc qui la trouvera forcément moche, à moins d'être devenu aveugle. Auquel cas on lui retirera, d'un coup d'un seul, l'amour de maman et le soin de mes dents.

– Rien ne va jamais, gémit maman.

Je reconnais son côté grandiloquent. On lui adresse un petit reproche, et elle remet en question la vie entière.

– Puisque je ne prends pas les rendez-vous qu'il faut et puisque toi aussi tu as décidé, comme ton frère et ta sœur, que je fais tout de travers, eh bien, débrouille-toi ! J'essaie de procéder au mieux pour tout le monde. Va donc à la piscine et garde tes dents de travers.

Elle s'emporte et claque la porte de sa chambre. Saute d'humeur consécutive à mauvaise foi. Mon petit moteur s'enclenche. Je la devine déjà sur son tapis de yoga à se demander comment réclamer mon pardon pour sa colère. Je n'ai rien fait de mal. Je veux aller à la piscine au lieu d'accompagner maman chez son amant.

Là voilà qui revient déjà. Elle s'approche de ma chambre. Elle toque alors que ma porte est restée ouverte. Elle porte un sac en papier fermé par un bolduc. Elle me le tend en disant :

– Excuse-moi, je m'énerve très facilement en ce moment.

J'ouvre le sac et j'y trouve un chapeau de paille.

– Tu as raison pour l'orthodontiste. On y va demain pour la dernière fois, et ensuite on s'arrangera pour que tu puisses aller à la piscine le mercredi après-midi.

Elle part vers la cuisine. Je la rattrape, elle se retourne. Sans doute préférerait-elle vivre ce moment sur une plage déserte avec son amant, mais j'ouvre grand mes bras et elle aussi. Quand je me jette dedans, les particules de mon moteur volent en éclats. Il n'y a plus rien que nous deux, maman et moi, dans les bras chauds.

20

Depuis le week-end avec papa, je n'avais pas remis mon maillot de bain une pièce avec des pastèques et des ananas, mais lorsque je l'ai essayé avec mon chapeau, j'ai eu la satisfaction de le découvrir moins fluo. Je n'irais pas jusqu'à le jurer, mais il est sans nul doute et pour deux raisons plus à mon goût. D'abord, il me rappelle le week-end avec papa. Donc il est très beau. Ensuite il me rappelle que maman l'avait glissé dans mon sac ; donc elle pense à moi très souvent. Malgré son amant. Et puis avec ce chapeau sur la tête, j'ai l'air d'avoir vingt-cinq ans. Si je peux grandir d'un seul coup, sans traverser l'âge bête d'Aline, je signe tout de suite. Je veux bien m'imaginer adulte. J'ai plus de mal à accepter les stades intermédiaires. Je ne perds pas de vue la chance que j'ai de ne pas être un garçon. La mue de la voix d'Igor m'a laissé un souvenir impérissable.

En ce mercredi, je me sens d'excellente humeur et je pars chez le docteur Croc pleine de bonnes intentions, le regard dans ma poche. Je ne verrai rien, je ne sentirai rien. Après tout, qu'ils s'arrangent avec leurs affaires de grands. Moi, j'ai un chapeau et je consacre à Croc un dernier mercredi avant la liberté. Si maman pouvait éviter d'attraper la maladie de papa et de passer son temps à consulter son téléphone, je serais plus contente. J'imagine que Croc lui envoie des petits messages de bienvenue : « Oh, comme j'ai hâte ! » «Tu es si belle.» «Je meurs d'amour pour toi.» Mais, comme j'ai pris la ferme résolution de cesser d'imaginer durant quelques heures, je n'envisage rien de plus. Qu'ils s'écrivent puisqu'ils s'aiment. Pas la peine de me prendre pour une bille et de soupirer avec insistance pour me faire croire qu'elle reçoit des messages du travail.

Une secrétaire nous installe dans la salle d'attente. D'habitude, la porte s'ouvre toute seule et personne ne nous accueille. Je ne peux pas m'empêcher d'examiner maman. Elle la regarde de travers. La fille nous sourit, mais maman mord ses joues.

– Tu ne trouves pas qu'elle a une drôle de tête ? s'esclaffe-t-elle.

Nous sommes toutes deux assises face à un horrible tableau de dents avec des caries en forme d'étoile.

Je suis étonnée parce que maman ne dit pas de mal des autres. Elle est toujours très généreuse avec les gens moches, sauf quand il s'agit de Gonçalo ou de Pascal. Je comprends aussitôt, grâce à ma maturité et à mon flair, qu'elle est jalouse. Maman est jalouse de la secrétaire du docteur Croc pour la bonne raison qu'il s'agit peut-être de Mme Croc, la femme du docteur. Je crains le pire. Et si elles se battaient dans la salle d'attente afin de récupérer chacune un morceau de l'horrible Croc ? Je surveille maman du coin de l'œil, priant pour qu'elle ne prenne pas la tête, et tous mes efforts pour ne rien voir de leur petit manège tombent à l'eau. J'anticipe. J'angoisse. Mes deux mains tricotent allègrement, se conseillant de si près que je ne sais plus lesquels de mes dix doigts sont les bons et lesquels sont les mauvais. Nous entendons la secrétaire noter des rendez-vous au téléphone, et son défaut de prononciation qui transforme tous ses « j » en « ch » fait à nouveau pouffer maman. Je suis gênée, j'ai peur que la secrétaire l'entende et se venge.

– La pauvre, elle n'est vraiment pas gâtée par la nature, insiste maman.

Je lui fais chut avec la main, et elle se défend.

– Oh, dis donc ! Ça va, hein ! Elle ne m'entend pas !

– Pourquoi ? Elle est sourde ?

Maman éclate de rire. Je refuse de me demander ce qui la rend de si bonne humeur. Elle contemple ses ongles peints en corail. Ce n'est pas exactement une réussite, cette couleur ni rouge ni orange, mais elle m'émeut, maman, quand elle tente de copier ce qu'elle voit dans les magazines. Elle pianote encore sur son téléphone.

– À qui tu écris ?

– Non, mais dis donc !

J'ai oublié qu'il ne fallait pas poser de questions très personnelles. Je dois m'occuper exclusivement de mes oignons et du jardin dans lequel je les plante.

– J'écris à papa, me dit-elle doucement.

Elle a une caresse dans le regard, comme si elle s'en voulait de m'avoir balancé des oignons.

Mensonge ! Mensonge ! Menteuse ! J'accepte de me rendre aux oignons si on ne me raconte pas de salades !

– Et que vous chantez-vous donc de si rigolo ?

– Non, mais dis donc !

À quoi bon m'en dire la moitié ? Maman recommence à pouffer.

– Je ne savais pas papa si drôle... dis-je entre mes dents.

– Ce tableau, ricane maman, un doigt tendu vers le mur, il est grotesque.

On ne montre pas du doigt... Bon. Ils n'ont pas les mêmes goûts, Croc et elle. Soit. Mais de deux choses l'une. Ou elle a bu ou elle devient complètement timbrée. Son téléphone bipe, elle le consulte et éclate de rire encore une fois, elle suffoque en s'adressant au plafond et, dès qu'elle entend la voix de la secrétaire, elle repart dans son fou rire. Alors que je suis en train de penser qu'il va falloir l'interner sous peu dans un grand hôpital avec des barreaux, des chaînes et des chiens de garde, Croc fait son apparition. Aussitôt maman cesse de rire et se lève d'un bond, à cause de son ressort sous les fesses, ressort dont elle entraîne la tonicité dans les salles d'attente. Je n'ai jamais vu quelqu'un se lever aussi vite, ramasser sac et manteau, ni filer dans le cabinet des docteurs avec autant de prestance. Je copie sa vitesse, mais je baisse le nez et je réponds au salut de Croc par un bonjour forcé et surtout par un bonjour tout court.

– Bonjour, docteur, corrige maman.

Je me retrouve sur le siège pour vieilles, maman plantée à ma gauche pour le spectacle, et Croc à ma droite qui trifouille dans ses outils. Ma mère a vraiment mauvais goût. Il porte des chaussures bicolores ridicules, et sa salle d'examen déborde de trophées de chasse tous plus répugnants les uns que les autres. Elle me prend la main. Évidemment ! Elle ne peut pas prendre la sienne puisqu'il vient de la fourrer dans ma bouche. Je me vois dans ses lunettes. Je ne l'aimerai jamais. Je ne comprends pas comment on peut tomber amoureuse de ce gars. Il est tout marron, avec une marque blanche de masque de ski autour des yeux. Un Kinder. Mais pas bon. Sans surprise. Il est fermé. Il est austère. Et aujourd'hui, je constate aussi qu'il est quasi muet. Se sont-ils disputés, maman et lui ? Parce qu'il est parti en week-end au ski ? Avec la nouvelle secrétaire qui est en fait sa femme ? Sa copine ?

La secrétaire vient d'entrer. Maman me sourit avec l'œil qui frise. Je crois qu'elle a encore envie d'éclater de rire. Les nerfs, j'imagine. Elle met en pratique la technique qu'elle essaie en vain d'inculquer à Aline. La technique du dédain. À force d'entendre en quoi celle-ci consiste, je la reconnais. Savant mélange de rire, de retenue et de mise à distance, elle est censée conduire au résultat escompté. Je ris, je plaisante, je souris, je fais ma légère pour montrer au garçon que je me fiche totalement de lui. Selon maman, ce procédé infaillible peut changer le cours de la vie d'une femme. Maman ne supporte pas qu'Aline rampe aux pieds des garçons. Mais Aline ne supporte pas que maman lui donne des astuces pour se redresser. Elle préfère rester comme elle est, à quatre pattes à côté d'un téléphone qui ne sonne pas. Quand par hasard il sonne, contrairement au conseil de maman elle décroche à la première sonnerie, et quand elle tombe sur quelqu'un de la famille ou pire, sur Josse, Aline pique une colère et refuse en claquant la porte de sa chambre le rouge à ongles corail que maman accepte de lui prêter pour ses pieds, mais pas pour ses mains, elle est encore trop jeune.

– Nous nous reverrons la semaine prochaine, Nancy, me dit le docteur Croc, alors que je viens encore de résister à la tentation de claquer ma bouche sur ses doigts. Tout est bien stabilisé. Nous avons fait un excellent travail.

– Tant mieux, lui répond maman. Nos efforts sont enfin récompensés !

Au cas où on l'oublie, je suis la seule responsable du résultat favorable. J'endure depuis des mois appareil dans la bouche et rendez-vous du mercredi, alors congratulez-vous si vous le souhaitez, mais un peu moins fort. Et évitez les tapes dans le dos ! Merci bien, je ne suis pas handicapée des yeux, même si je le suis pour quelques mois encore du palais et de ses alentours. Je choisis un joujou rose dans un bocal de balles que la secrétaire me tend. Je voudrais refuser, lui expliquer que j'ai passé l'âge des petits cadeaux nuls, mais j'accepte. La secrétaire me sourit. D'accord, elle est objectivement moche avec ses cheveux en touffe et sa bouche fuchsia, mais elle a l'air gentille.

– Vous êtes nouvelle ?

– Oui, me répond-elle. *Cheu* fais un *stache.*

Maman pouffe encore, et je remarque, même si je ne les regarde pas, que le docteur Croc et elle échangent un regard amusé. L'amour les rend peu charitables.

– Mais qu'est-ce qui t'arrive ? dis-je à maman lorsque nous quittons le cabinet. Tu ris sans arrêt pour rien.

– Je ne sais pas... Je suis gaie !

Une fois que nous sommes arrivées au pied de l'immeuble, maman me demande de l'attendre une seconde, elle a oublié son chéquier. Trop nul, le coup du chéquier. Elle remonte l'escalier. Mon petit moteur ronfle. Je compte les secondes sur mes doigts, impossible de penser autrement, impossible de me calmer. J'entends la porte, je devine un bruit de bouche, je m'attends à découvrir les lèvres de maman pleines des poils de la barbe de Croc. Elle réapparaît, légère, souriante. Je la maudis. Elle me pose la main sur l'épaule.

– Allez, Nancy, maintenant, on se dépêche… Je voudrais avoir le temps de me préparer avant d'aller chercher papa au bureau.

– Au bureau ?

– Oui, je lui ai promis de passer le prendre. Ce soir, on dîne au restaurant.

– Et je reste à la maison ?

– Bien sûr !

– Mais vous n'êtes plus fâchés ?

– Non, mais dis donc !

– Quel restaurant ? À quelle heure ?

– Je vais le chercher à sept heures. On se promène un peu et on dîne quelque part.

Maman me ment. Elle vient d'accepter de dîner avec Croc. Mon pauvre petit papa va faire des ronds autour de l'immeuble en guettant son retour. Il fera semblant d'aller bien, mais au fond de lui il rêvera au bandeau rouge que maman nouerait pour lui dans ses cheveux si seulement elle l'aimait encore. Il dessinera les plans d'une nouvelle maison avec jardin et mur d'enceinte si haut que maman ne pourra plus jamais s'évader.

21

Igor sent qu'il a charge d'âme. Dès qu'il s'agit de me garder, il s'exécute avec gentillesse. Il me taquine en présence des parents, imitant ma démarche mal assurée de préadolescente ou mon rire en cascade et ma façon de remonter ma mèche de cheveux, mais il ne m'ennuie jamais le soir quand les parents sortent. Il a même tendance à me protéger d'Aline et de ses conversations en boucle, sans point, enfin si, avec points de suspension.

Pour une fois, je suis, moi aussi, très bavarde et j'ai besoin de vider mon sac. J'explique à mon frère que papa a une maîtresse. Il me regarde complètement éberlué. Quant à Aline, elle se fiche de ma révélation, prend l'air occupé à autre chose et entortille une mèche de cheveux autour de son index en rêvant aux somptueuses boucles de Barbie-Frisure qu'elle n'aura jamais.

– Tu parles de papa ? articule Igor.

– Papa. Absolument. P-A-P-A.

– Tu veux dire le monsieur qui rentre le soir et m'appelle « fiston » quand je ne fais pas de conneries ? insiste mon frère.

– Oui.

– Vous en avez discuté ? demande Aline, abandonnant à regret sa mèche de cheveux.

– Pendant votre week-end ? demande Igor.

– Non, il ne m'a rien raconté. Mais je le sais. Il passait son temps à envoyer des messages avec son téléphone.

– Il écrivait à maman ! lance Aline.

– Mais que t'es conne ! lâche Igor.

Voilà Igor. Gentil, un temps, un temps plutôt court. Et puis l'insulte. Alors, réflexe immédiat chez Aline, les vannes s'ouvrent et les flots débordent. Aline pleure. La pauvre n'a pas de moteur, quand on la traite de « conne », elle pleure directement.

– Mais tu ne vas pas encore pleurer... jappe Igor. T'es conne, t'es conne, tu n'y peux rien, grande sœur. Mais, exceptionnellement, je m'adressais à la petite !

– Arrête, tu es vache, dis-je à Igor.

– Ouin, ouin, pleure Igor, imitant Aline. Je ne suis pas une vache.

Il passe tant de haine dans les yeux d'Aline qu'on se demande si cette maison héberge véritablement des frère et sœurs.

Aline tente de se venger à l'aide d'insultes aussi grosses que celle d'Igor, mais Igor l'arrête net en lui disant :

– Laisse tomber, Nunuche. Tu as plus de chance de boucler tes cheveux que de réussir à me faire pleurer.

– Est-ce qu'on peut revenir à papa ? dis-je très calmement, ayant noté qu'en période de conflit le mieux est de conserver une ligne droite.

– Que font papa et maman au restaurant si papa a une maîtresse ? demande Aline entre deux sanglots.

– Il lui avoue tout. Elle pleure. Ils se quittent ! ricane Igor.

– Au restau ? demande Aline.

Impossible, maman a mis du vernis à ongles. Elle ne s'est quand même pas faite belle pour quitter papa. J'admets qu'en ce moment elle est un peu bizarre. Quand elle ne fait pas sa spatule ou sa miss Forêt, elle a des fous rires contre une pauvre stagiaire sans défense. Mais peindre ses ongles, mettre une robe – rouge en plus –, au risque de jurer complètement avec le corail de ses ongles, et des chaussures fines alors qu'il pleut à verse, ne sont pas des signes de rupture. D'après Josse, les gens qui rompent s'arrangent pour le faire avec une tête d'enterrement. La dernière fois qu'elle a quitté son copain, elle nous a raconté qu'elle n'avait pas lavé ses cheveux pendant quatre jours afin que le type n'ait aucun regret. Elle est arrivée la crinière grasse, l'œil sombre, et elle a déclaré ouverte la fin de l'amour. Puis elle est repartie d'un bon pas vers d'autres aventures. J'adore Josse. Chaque fois qu'elle vient nous raconter sa vie, je trouve à maman un air de joie. Josse la rajeunit. Je suis fan des histoires de Josse. Grâce à elle, je sais des choses qui ne sont pas forcément de mon âge. Quoique. Si je veux être à la hauteur au Gaou-Bénat, j'ai intérêt à rattraper mon retard. Je sens que Marie en a marre que je lui parle de mon père quand, de son côté, elle me raconte son nouvel amour. Elle a complètement oublié Jeff pour lui préférer Ouri, le meilleur ami de son cousin Victor qui sera lui aussi au Gaou-Bénat.

Revenons à mes moutons. J'ai cru que mon frère et ma sœur s'intéressaient vaguement à mon scoop, mais ils sont en fait retournés à leurs affaires. Ils préfèrent regarder la télévision plutôt que de répondre à ma question. Je me retrouve encore une fois seule face à mes tortillons dans le ventre. Papa et maman vont-ils se quitter ?

Je les imagine manger leurs spaghettis bolognaise en énumérant tout ce qu'ils n'aiment pas chez l'autre. Maman reproche à papa de ne jamais prendre sa défense contre les enfants. Papa reproche à maman de porter des chaussons en forme d'ours. Maman reproche à papa de lire des dictionnaires de blagues aux toilettes. Maman reproche à papa de jeter son linge sale dans le panier de linge propre. Maman reproche à papa de ne jamais l'emmener à Venise. Papa reproche à maman de ne pas sourire avant neuf heures, heure à laquelle il est déjà parti au bureau. Maman reproche à papa de faire du vélo sans casque. Papa reproche à maman de cacher le vase de sa mère derrière la commode. Maman reproche à papa de lui avoir offert cette horrible statue en forme de crocodile pour ses quarante ans, alors qu'elle aurait préféré un collier. Papa reprend du parmesan. Maman mange un gressin. Mais elle se ravise. On ne mange pas de gressins avec des pâtes. Conclusion, elle se venge et fait remarquer à papa qu'il ne l'a pas félicitée pour son corail aux ongles. Papa lui répond qu'elle ne l'a pas congratulé pour son bouton sur le nez. Alors ils rient ensemble et s'aiment à nouveau.

Je vous en supplie, grand Seigneur de mon petit moteur, faites que mes parents s'aiment encore en rentrant ! Et si papa prend un tiramisu, dites au serveur de leur apporter deux cuillers, maman en rêve.

22

Comme Igor et Aline étaient devant la télévision, j'ai passé la soirée au téléphone avec Marie. Quitte à désobéir, autant désobéir ensemble. Si papa et maman s'aperçoivent que la télévision est restée allumée toute la soirée, nous serons punis. Alors quitte à l'être, j'aime mieux être punie pour quelque chose que j'ai vraiment fait. Le téléphone étant l'autre passe-temps interdit en l'absence de papa et maman, je m'en suis donné à cœur joie et j'ai parlé à Marie pendant une heure et quart. Maïté et Jean-Marc regardaient un film et ne se sont aperçus de rien.

J'ai évoqué le futur divorce de mes parents, mais Marie ne s'y est pas intéressée. Elle est sans cesse revenue à Ouri et à Victor. Dans l'idéal, elle considère que je dois tomber amoureuse de Victor afin que nous ne nous quittions plus jamais tous les quatre. J'accepte de tomber amoureuse de Victor, mais mieux vaut que je le connaisse avant. Elle doit me montrer une photo de lui qu'elle va récupérer chez sa grand-mère. J'espère que la photo ne provient pas, comme les jumelles, de la cave, sinon je vais me retrouver avec un vieux cousin aux moustaches qui rebiquent et au casque à pointe datant de la guerre de 14-18.

En attendant de tomber amoureuse, je profite de la paix retrouvée à la maison. Contre toute attente, en rentrant du restaurant italien, mes parents n'ont même pas remarqué que la télévision était chaude. Lorsque nous avons entendu l'ascenseur, nous nous sommes précipités dans nos lits, et j'ai tendu l'oreille. Ils riaient. Papa et maman sont allés directement dans leur chambre. J'ai juste entendu papa :

– Je crois que ta robe te va encore mieux de dos que de face.

J'ai donc bouché mes oreilles pour ne pas profiter de la réponse de maman, d'autant qu'il lui arrive de se vexer pour un rien. Et papa est bien maladroit de lui asséner un truc pareil alors qu'elle a essayé cinq robes avant d'opter pour celle-ci ; à chaque essayage, elle m'a demandé mon avis en me regardant de face, et jamais en me tournant le dos. J'ai choisi la rouge parce qu'elle est sans manches avec un col montant. Cela s'appelle une emmanchure américaine, m'a expliqué maman. Les emmanchures américaines me conviennent très bien, et je prends toutes les emmanchures américaines du monde à la place des robes à décolleté plongeant et à petites bretelles qui ont le don de m'exaspérer. D'accord, je préférerais que maman reste la femme de papa, mais je ne perds pas de vue que je suis sa numéro un. Je me garde donc les chaussettes en dentelle. Même si Marie m'a dit qu'elles n'étaient plus possibles. Je n'ai pas trop aimé sa remarque. Je l'avais senti, avant qu'elle parle, j'avais vu son regard sur mes pieds et compris qu'elle se retenait pour ne pas me peiner.

Mes socquettes… Encore une chose difficile à quitter. Je ne vais quand même pas consulter Mme Blin. Sa porte m'est toujours ouverte, quel que soit le problème dont je veux parler. Mais changer de chaussettes est-il un problème à la hauteur de ses oreilles ?

En tout cas, papa et maman vont très bien. Ce matin, maman rit de bon cœur en constatant qu'Igor a rempli à ras bord son bol de céréales. Et elle ne prend pas la mouche quand Aline peste contre elle qui n'a pas pensé à racheter des Cracotte light.

– Ce n'est pas en mangeant « light » que tes cheveux vont friser, lance Igor.

– Boucle-la ! hurle Aline.

Le matin, ses cris sont pénibles. Mais pas pour tout le monde. Papa et maman sont devenus sourds. Ils se regardent avec tout l'amour du monde au fond des yeux. J'ai envie de me mettre debout sur ma chaise pour manifester. Et Croc dans tout cela ? Où est-il passé ?

Et Mme Molaire… Ce n'est quand même pas moi qui l'ai inventée, si ?

Maman me dépose à l'école. Je lui demande si les spaghettis étaient bons, elle me répond :

– Quels spaghettis ? J'ai mangé des saltimbocca.

Oh ! pardon, madame Spatule, des saltimbocca, vous m'en direz tant ! Et puis-je vous poser la question du dessert ou bien allez-vous m'envoyer me mêler de mes oignons ?

– Et en dessert ?

– Des profiteroles.

– Et papa ?

– Un baba au rhum.

– Pas très italien...

Maman pouffe. J'espère qu'elle ne va pas recommencer à rire pour rien.

– Au fait, me dit-elle, mardi prochain, papa t'emmènera chez le dentiste après l'école. Puis il te déposera chez Marie. Tu y dormiras. Mercredi, Maïté vous accompagnera à la piscine.

Exceptionnellement, maman a beau faire des essais de bretelles, je suis obligée de reconnaître qu'elle est drôlement mignonne. Elle n'a rien oublié de ce qu'elle avait promis. Mais quand même, deux questions me démangent, une que je peux me permettre de poser, et l'autre pas. Je m'attaque donc à la première.

– Vous vous êtes réconciliés, toi et papa ?

– Non, mais dis donc !

Pour cette question, affaire classée. J'en étais sûre. Mais l'autre question est un pensum. Comment est-il possible que papa me conduise chez Croc s'il sait que maman et lui sont ensemble ? Il n'est donc au courant de rien. Je détiens ce secret épouvantable et je serai vraisemblablement, mardi prochain, le tout petit témoin jeune et fragile de la pire des catastrophes interplanétaires. Elle se jouera entre deux hommes. Celui que j'aime le plus au monde et celui que je crains par-dessus tout.

23

Nous sommes dimanche. Maman vient de faire la spatule devant la fenêtre, et j'ai bien cru qu'elle portait une emmanchure américaine tant papa la regardait. Il était censé faire réciter son anglais à Aline et il passait son temps à reluquer maman. Samedi matin, en venant me chercher à la sortie de l'école, il m'a expliqué leur réconciliation. Nous avons traîné, et il a tenu à répondre à la question que je ne posais pas. J'ai donc fini par en poser une à laquelle il ne répondait pas et appris que c'était bien à elle qu'il écrivait durant notre week-end. Ils se sont même confié beaucoup de choses.

– Notre but était de nous rapprocher. Il arrive que la parole coince. Il suffit de trouver comment la décoincer. Quelquefois, écrire passe mieux. Tu comprends ?

– Un peu.

– Imagine une porte qui grince…

– Oui ?

– Un coup d'huile, et zou.

L'amour rend complètement abruti. Mon papa, d'ordinaire si poétique, développe cette affreuse comparaison avec une porte. Nous sommes censés traîner, lui, moi et mes socquettes. Il est là pour me raconter la destinée d'empereur de ce pigeon déplumé, ou bien la fierté de cette canette de bière voguant dans le caniveau, mais il s'épanche. Je n'aime pas qu'on me vole mon temps. Que dirait-il si je me servais de notre samedi matin pour lui raconter ma vie future et privée avec Victor ?

Victor. J'ai vu sa photo. Une photo couleur. Il a des petites oreilles et il est plutôt beau. Il a surtout l'air gentil. Comme papa. Est-ce qu'il connaîtra des histoires ? Je ne sais pas. Marie dit qu'il nage très bien. Il fait de la compétition. Il a obtenu plusieurs médailles. Il les cache dans une boîte. Elles ne sont pas exposées dans sa chambre. Parce qu'il est modeste. Il chante aussi. Et joue d'un instrument rare. Mais je ne sais plus lequel.

Nous sommes rentrés à la maison à midi cinquante. Pour la première fois de mes samedis, nous avons dix minutes d'avance sur l'heure de notre retour. J'ai préféré ne pas me demander pourquoi. J'ai seulement senti que papa avait hâte de rejoindre maman. J'ai été contente pour elle et triste pour moi, et juste après, contente pour moi et triste pour papa. Mais je ne sais toujours pas pourquoi. Il faut que je sois triste pour quelqu'un ; sans doute que cette peine légère et constante m'apporte aussi de la joie.

Aujourd'hui, dès que maman aura fini son yoga, salué le soleil et transformé la renarde barbouillée en dauphin sec, nous irons tous au cinéma. Je contemple le salon, je me vautre sur la moquette chauffée par le soleil. J'aime ma petite famille ainsi réunie, avec papa qui rêve aux emmanchures américaines de maman, Aline qui chantonne un hymne russe au lieu de réviser ses verbes irréguliers, et Igor qui se retient de sortir une vanne pour ne pas gâcher l'ambiance. À papa, et en secret, il murmure :

– Tu paries que son prochain copain s'appellera Piotr Dimitri Ivanovitch ?

Papa rigole, et moi j'entends la messe basse, mais je ris moins. Forcément, je ne comprends que partiellement. Je n'ai pas encore arrêté les socquettes, il ne faut pas me demander de comprendre les blagues d'un débile de quinze ans.

Victor en a douze et demi. Fin juillet, il en aura treize. Seulement deux de moins qu'Igor. Comment faire pour tomber amoureuse d'un vieux ?

Concernant Mme Molaire, je n'arrive pas à me résoudre à fouiller dans les affaires de papa, aussi je me fie à mon flair. En présence de maman, son téléphone n'apparaît pas. Il n'y a pas de Molaire dans l'air. Peut-être l'ai-je inventée. Je l'admets. Elle n'a pas sa place parmi nous.

Même moi, je me demande si je suis là où il faut. Au cinéma, je suis assise entre papa et maman, mais papa me demande de me déplacer afin de pouvoir se mettre à côté de maman. Il pose sa main sur son genou. Dites-moi si je vous gêne, ai-je envie de maugréer, mais aussitôt mon petit moteur se calme. Alors que le noir tombe dans la salle et que l'écran s'allume, j'entends mon cœur me dire quelque chose. Il bat. Mes parents ne se quitteront pas.

24

Ce soir, je dors chez Marie. J'essaie de faire abstraction de l'obstacle qui m'attend juste avant : papa et Croc face à face, moi au centre, la bouche ouverte, toutes bagues dehors. Josse dit souvent qu'Aline rit quand elle se pince. Je viens de comprendre ce qu'elle entend par là. À dix-sept heures, je suis sortie de l'école complètement stressée, et lorsque Marie m'a répété une histoire drôle que Jeff venait de lui raconter, je n'ai pas ri. En revanche, quand la surveillante de la porte m'a éraflé le nez avec son cahier à spirale, j'ai rigolé. Elle m'a regardée de travers, ce qui ne m'arrive jamais, parce que je suis très aimée des professeurs et des surveillants. « Un peu trop », a constaté Mme Blin quand j'ai eu onze sur dix en conduite en CE2. J'étais complètement inerte. Mme Blin m'a conseillé de me dissiper un peu, puis elle m'a félicitée quand j'ai obtenu huit sur dix. Mes parents n'ont pas tellement compris pourquoi huit, c'était mieux que onze, mais Mme Blin a expliqué à maman qu'une trop grande timidité n'était pas une qualité. Maman a tout de suite été d'accord parce qu'elle a décrété que les propos de Mme Blin étaient tous parole d'Évangile. « Sinon, à quoi bon y aller ? » a-t-elle répondu à papa, qui signalait que peut-être il serait intéressant de modérer les propos de la psychologue.

Pour le moment, tout va de guingois à l'intérieur de moi. La blague de Jeff n'était pas hilarante, mais qu'importe. D'ordinaire, j'ai la courtoisie de sourire aux histoires de Marie. Elle est joyeuse parce que depuis qu'elle s'est rabattue sur Ouri Jeff lui montre une certaine forme de respect. Ainsi décrit-elle l'amélioration de leurs relations.

– Tu vois, depuis que je le trompe, il me respecte, m'explique-t-elle.

J'ai l'impression d'entendre Maïté et, si je le répète à maman pour obtenir son son de cloche, elle va sûrement me dire que Marie répète les propos de sa mère. Or je ne le supporte pas. Maman considère que mes amies n'ont pas le cerveau assez évolué pour penser toutes seules. Selon elle, Marie est un perroquet. Quand un enfant de trois ans fait un bon mot, maman m'explique toujours qu'il ne vient certainement pas de lui. Je ne sais pas à quel âge maman jugera que les mots que je fabrique sont à moi. Peut-être jamais. Il va falloir se battre. J'ai envie de faire mienne la théorie de Marie, choisir son camp, mais je suis tellement tendue par le rendez-vous chez Croc que je me tais. Je n'arrive pas à participer. Je suis censée aller avec elle au bout de la rue où papa m'attend. Sur nos cent mètres de liberté, j'aimerais expliquer à Marie que je me passionne pour ses histoires dont nous parlerons chez elle ce soir, mais… j'ai ce problème de dentiste. Mes mots restent coincés.

– Tu fais la tête ? me demande-t-elle. On dirait que tu as avalé un balai.

– J'ai peur du dentiste.
– Tu es contente de venir ce soir ?
– Bien sûr !
– Tu as écouté ce que je t'ai dit sur Jeff ?
– Bien sûr !
– Tu penses comme moi ?
– Bien sûr !
– Tu ne peux pas dire autre chose ?
– Bien sûr !
– Tu n'es pas très sympa…
– Ben, non…

Heureusement que papa marche vers nous. Je ne sais pas pourquoi il a eu cette idée de m'attendre à cent mètres. Normalement, il entre dans la cour. Je ne lui ai pas demandé autre chose. Mais maman, ce matin, entre deux bretelles, lui a fait une sorte de clin d'œil pour lui rappeler de me laisser sortir seule de l'école. Encore un coup de Mme Blin, j'imagine. Nancy doit prendre son indépendance. Laissez-la faire quelques pas. Ne la couvez pas. Montrez-lui que c'est une enfant capable.

Au secours ! Je suis déjà capable ! La preuve.

Je suis capable d'avoir honte de ma mère et de lui demander de m'attendre loin de la porte, mais je suis aussi capable d'être fière de mon père.

Marie est fâchée et elle dit bonjour à papa sans un sourire. Il essaie de blaguer pour la dérider, mais elle lui répond à peine. Nous nous séparons sur un « salut » aussi coincé que mes maxillaires, et je n'ai plus du tout hâte de la retrouver tout à l'heure. À coup sûr, elle va faire la tête. J'ai tout gâché. J'aimerais la rattraper, je voudrais la rassurer. Elle part chez elle sans se retourner, elle fait comme si elle se fichait de moi, mais elle ment. Quand elle ment, elle marche en apesanteur, comme sur des œufs.

– Vous vous êtes disputées ? me demande papa. Elle a l'air bizarre…

– Non. Mais elle me parle de ses histoires de garçons, et moi, je m'en fiche. Alors elle s'énerve.

– Tu t'en fiches ?

– Complètement.

Mon pauvre petit papa… Il doit impérativement croire qu'il reste le seul être masculin de ma vie.

– Bizarre, commente papa. De ton côté, tu n'as pas un petit copain qui te plaît ?

Bon, alors je veux bien faire croire à mon père qu'il est le numéro un, mais s'il me parle sur le ton de pépé, ou pire, comme mémé qui emploie « béguin » pour « amoureux », j'arrête tout de suite de faire des efforts. Je n'aime pas quand papa a l'air vieux. Il rit comme une andouille, en plus. S'il croit obtenir des confidences en usant de son petit ton complice, il rêve. Victor est mon jardin secret.

Mon jardin secret ! J'ai rêvé de lui cette nuit. Nous étions réunis dans une bassine en velours, et des perdrix, ou des perdreaux – je ne sais pas et je ne peux poser aucune question à papa afin qu'il m'aide à préciser –, des oiseaux, donc, nous lançaient des buvards.

Si Mme Blin peut faire quelque chose avec un tel matériau, grand bien lui fasse ! Cette cruche est censée lire en moi, mais elle n'a pas remarqué que maman sort avec Croc, alors franchement…

Papa m'a apporté un goûter.

– Et je le mange comment ? lui ai-je demandé. Avec mes dents ?

J'ai été impertinente pour la première fois. Il m'a regardée avec ses yeux tendres et s'est excusé de m'avoir acheté un croissant. Il a même dit :

– Je suis idiot, tu le mangeras après. Tu ne vas pas arriver chez le dentiste avec un appareil plein de miettes.

Je m'en veux tellement que mon petit moteur s'emballe. Il arrive qu'il ne me défende pas des autres et qu'il se retourne contre moi. Dans ces cas-là, j'ai mal aux côtes. J'ai envie de crier, mais je ne peux pas. Et puis que pourrais-je crier, à part prévenir papa que Croc a lui aussi flashé sur miss Emmanchure américaine ? Mes mains se serrent. Gelées, aucune des deux ne vient soulager l'autre. La porte de l'immeuble de Croc apparaît, austère comme une poubelle. Rien à faire, à chaque fois que je m'approche de ce type, la même image de poubelle me vient à l'esprit. Marron et gris, sans roulettes.

La secrétaire nous installe dans la salle d'attente. Papa ne va quand même pas plaisanter avec moi de son défaut de prononciation ? Eh bien, si !

– Elle aurait grand besoin de Mme Blin pour travailler un peu sa diction…

Je ne réponds rien. Je n'aime pas la méchanceté, mais à papa je ne peux pas adresser de reproche. Je sais qu'il ne le fait pas exprès, maman l'a sûrement intoxiqué. Cette fille me donne envie de pleurer. Je me dis que sa vie doit être compliquée si tout le monde s'esclaffe dès qu'elle ouvre le bec. Quand j'ai eu mon premier appareil dentaire, avant même que je sorte un son, Igor hurlait de rire. Même Aline, qui rit quand elle se brûle, s'esclaffait. Alors si je chuintais à vie, j'aimerais qu'on entende autre chose de moi. J'espère au moins que cette fille a une maman qui comprend ses mots et ne lui reproche pas, chaque fois qu'elle s'exprime, d'avoir volé ses phrases à d'autres.

Mon cœur bat de plus en plus fort. Le patient précédent est sorti du cabinet, et je sais que la porte va s'ouvrir. Je voudrais serrer la main de papa, mais j'étreins déjà les deux miennes.

Croc m'accueille en souriant.

– Bonjour, monsieur, lance-t-il à papa.

– Bonjour, docteur, lui répond papa.

Une fois sur le siège pour vieilles, tout se déroule en trois secondes. Croc déclare qu'il me revoit dans six mois, papa répète « six mois », et nous quittons le cabinet. Alors que papa se ridiculise à dire à Croc combien il est content que mes dents de lapin deviennent des dents de jeune fille, je vois une chose impossible, je suis témoin d'une image insurmontable. Et pourtant je garde autant que je peux les yeux sur mes chaussures. Mais là, c'est trop. Papa se réjouit pour mes dents, et Croc lui passe la main, et Croc lui passe la main, et Croc lui passe la main. Dans le dos.

25

Le coup de grâce survient au moment où papa et moi descendons l'escalier. Il me tend mon croissant en s'extasiant sur Croc.

– Il est super, ce docteur. En plus, il a l'air doux, non ?

Demande à ta femme, ai-je envie de lui dire. Mon pauvre petit papa, aveugle jusqu'à la racine des cils. Je marche comme un automate, les larmes me montent aux yeux. Je sanglote, et papa ne le voit pas. Il continue à commenter mes dents et mon futur sourire. Je ferai des ravages. Oui, oui.

Papa m'attrape la main, puis la lâche. Encore une intervention de Mme Blin, j'imagine. Ne lui tenez plus la main, a-t-elle dû recommander.

Je me retrouve bien seule. Nous marchons côte à côte et, quand il voit enfin mes larmes, il s'agenouille devant moi.

– Qu'est-ce qui se passe, ma belle ? me demande-t-il.

– Maman et toi, vous comptez vous aimer encore combien de temps ?

– Toujours, ma belle. Je l'aime pour toujours. Et elle aussi. Nous traversons parfois des périodes compliquées, mais l'amour ne disparaît jamais. Ta mère est la seule femme qui m'intéresse, et si tu veux savoir, j'en suis fou.

– Et elle ?

– Elle est fatiguée de tout faire. Elle travaille, elle s'occupe de vous. D'ailleurs, je m'occupe de toi ce soir pour lui laisser le temps de s'occuper d'elle. Et mercredi prochain, pour notre anniversaire de mariage, on retourne au restaurant. Tout est reparti comme avant, je te le promets.

– Vous mangerez des bolognaises ?

– Et on se regardera dans les yeux.

– Elle mettra sa robe à bretelles ?

– Oui. Et tu la conseilles à merveille.

– J'ai cru que maman était amoureuse du dentiste.

Papa éclate de rire.

– Tu sais bien que ta mère n'aime que les bruns !

J'aurais dû me fier aux cheveux. Le poivre et sel de Croc ne va pas avec le régime sans sel et sans épices de maman. Un poids s'échappe de moi. Je revois chaque scène, maman et ses petites mines. Je comprends qu'elle les adresse à elle-même. Elle en a besoin pour exister parfois, quand papa rentre tard, quand Aline lui parle mal. Et Igor qui la frappe ! Dire que je dois attendre demain soir pour embrasser maman. Je demande à papa :

– Tu l'embrasseras pour moi ?

– Plutôt deux fois qu'une, répond-il en riant.

Je ne m'énerve pas. Imaginer papa amoureux de maman me procure un bien-être proche d'une crêpe ardéchoise. J'ai ma place avec eux, pas entre, mais à côté. S'ils s'aiment, tant mieux pour moi, c'est autant de gagné. L'ambiance, la bonne humeur, le trésor partagé.

– À la prochaine cousinade, vous vous parlerez ?

– Je te le promets.

– Pourquoi, samedi dernier, on est rentrés à la maison à douze heures cinquante au lieu de treize heures ? Tu t'ennuyais ?

– Tu avais l'air pressée, me répond papa. Je pensais que tu avais faim.

– Oui. Et soif aussi, peut-être. On traînera encore ?

Papa sourit.

– Tu peux parler de mes tongs à maman pour juillet ?

Il me prend la main.

26

Les adultes habitent un pays où les enfants ont une place limitée. J'en ai la preuve en arrivant chez Marie. Maïté nous a préparé un petit dîner dans notre chambre afin de profiter d'un tête-à-tête avec son mari, qui est toujours ce brave Jean-Marc.

– J'appelle cela nous mettre dehors, commente Marie.

Maïté lui a demandé de ne pas traîner au salon et de rapporter le plateau à la cuisine quand nous aurons terminé.

Nous nous retrouvons donc toutes les deux, heureuses, je ne sais pas, car Marie boude encore. Je ne peux pas lui parler de la main de Croc dans le dos de papa. Déjà, dans le dos de maman, c'était complexe. Mais le dos de papa est carrément insurmontable. Comme Marie est la plus adorable des amies du monde, elle arrive à recréer le contact. Elle me demande si j'ai pu fouiller dans le téléphone de papa et trouver des indices sur Mme Molaire. J'ai beau ignorer ses problèmes, elle se souvient des miens.

– Tout va bien avec maman, lui dis-je. Ils se sont remis comme avant. J'en ai parlé à mon frère et à ma sœur, ils m'accusent d'affabuler. Alors peut-être que j'ai inventé…

Je lui sais gré de faire le premier pas vers moi. C'est Marie tout craché. Elle pardonne. Je me débloque et parviens à lui parler de Jeff. Je lui demande pardon pour tout à l'heure. Alors elle me sourit, elle me dit que mes nouvelles socquettes à jacquard me vont bien, elle répète :

– De toute façon les socquettes en dentelle devenaient vraiment ridicules. Je te rappelle que Victor t'attend !

Elle s'approche de son placard et sort le sac du Gaou-Bénat. Elle a trouvé deux draps de bain unis, un joli rose et un marron moche. Je me doute que je vais hériter du marron, mais je ne lui en veux pas. Elle me les met sous le nez pour que je les admire.

– Ce sont des serviettes d'adultes, tu comprends ? me demande-t-elle. Parce que Hello Kitty, on arrête aussi.

– OK. Et Snoopy ?

– Pareil.

– Dommage, j'aimais bien mon sac à dos chien.

Elle pouffe. Nous sommes bien à nouveau. Elle est fière de m'apprendre qu'Ouri l'a vue en photo et trouve qu'elle ressemble à une fille de douze ans. Marie a montré ma photo à Victor qui m'en a donné neuf.

– La faute des socquettes, me dit Marie. À mon avis, quand il te verra dans ton maillot une pièce avec des pastèques et des ananas, il t'en donnera treize.

Je suis sauvée. Mais j'espère que papa bosse sur les tongs. Je dois régler cette affaire dans les trois mois qui viennent.

Nous dînons en prenant des pauses. Nous avons remarqué que jouer des cheveux était important, alors nous nous entraînons à secouer nos crinières le plus élégamment possible, mais pas trop non plus afin de ne pas ressembler à nos mères. J'observe qu'il est fatigant de grandir, mais tellement amusant de s'y essayer à deux.

Peut-être que je décevrai Marie si je ne tombe pas amoureuse de Victor. Cependant, je pense qu'elle gardera toujours pour moi ce sourire, celui qu'elle me décoche quand je lui raconte mes rêves, par exemple. Un sourire bien plus large que celui de Mme Blin, bien plus franc que celui d'Aline, bien plus gentil que celui d'Igor, bien plus facile que celui de maman, bien plus naturel, eh oui, que celui de papa.

– Je ne sais pas si j'aimerai Victor, lui dis-je, mais je me sens de moins en moins amoureuse de papa.

Maïté nous éteint la lumière. Elle nous veut en forme pour la piscine demain, mais Marie m'explique qu'elle a surtout hâte d'aller se coucher avec Jean-Marc, et je ne vois pas du tout ce qu'elle veut dire par là. On s'endort après avoir parlé dans le noir. La main de Croc dans le dos de papa se transforme petit à petit en caresse dans le mien. Mes parents s'aiment. Ils vont bien. Maman n'a pas d'amant. Papa n'a pas de molaire. Enfin si, huit, mais qui ne comptent pas. J'ai tout inventé avec mes yeux, avec ma tête, parce que j'ai eu peur. À l'avenir, j'aurai moins peur. Et sous peu, je trouverai même plutôt joli que papa et maman se regardent avec amour puisque j'aimerai Victor, une sorte de prince charmant.

Je nage sous l'eau, dans une piscine chaude, avec des dauphins. Dans le grand bain, je les aide à creuser un couloir jusqu'à la mer. Mes mains ont des griffes et mes pieds sont palmés. Je possède tous les moyens de défense en moi. À quoi bon ? Je ne suis pas attaquée. Je suis sûre de moi, j'ai un maillot de bain une pièce avec des pastèques et des ananas. Je rêve en fluo. Et c'est beau.